覇権の歴史を見れば世界がわかる

はじめに——日本人が学ぶべき「争奪と興亡」の歴史

マンモスやナウマンゾウといった大型哺乳類を狩るには、リーダーが必要だ。一人では無理で人数が多くても統率が取れていないと成功は覚束《おぼつか》ない。仲間の連携と役割分担が不可欠で、それには頼れるリーダーがいないことには話にならないのだ。

リーダーが獲物の分配も仕切り、日常生活でも指導的役割を担うようになるのは自然な流れだろう。集団内で揉《も》め事が起きたときに調停し、他の集団と抗争が生じたときに戦いの指揮を執るのも、和平交渉にあたるのも同じ人物の役割だった。長老が集団の指導者となるのは定住農耕生活に移行してからのことであろう。

集落が村落となり、村落が町、町が都市国家、都市国家が領域国家へと発展を遂げるなかで、やがて広大な版図を有する大国が生まれ、その大国が言語や文化の異なる他国をいくつも併呑《へいどん》や保護国としていけば、覇権国家と呼びうる存在の誕生である。

全世界規模の覇権国家は、十六世紀末のオランダに始まり、イギリス、アメリカへと受け継がれた。

ローカル規模の覇権国家は、東アジアでは戦国時代を終焉させた秦《しん》に始まる中国の統一王朝がそれで、匈奴《きょうど》や突厥《とっけつ》、モンゴルのように北方民族が統一された状態もそれにあてはまる。

西アジアではアッシリアに始まり、アケメネス朝がそうならササン朝もそうだろう。イスラーム時代に入ってからは、アラブ帝国、ウマイヤ朝、アッバース朝、チムール帝国、オスマン帝国、サファヴィー朝などが該当する。

ヨーロッパではマケドニアとローマ、ビザンツ帝国、フランク王国、カヌートの帝国からしばらく飛んで、同じくハプスブルク朝下のスペインとオーストリアが該当しよう。

こうした覇権国家は、歴史に名を刻みこそすれ、永遠に続くことはない。栄枯盛衰《えいこせいすい》からは逃れられないわけだが、歴史に学ぶことで延命を図る程度であれば可能かもしれない。

二十一世紀を生きるわれわれは、歴代の覇権国家のあり方を数々の文献や遺跡を通じてかなり詳しく知ることができる。科学の進歩は大量破壊兵器を製造する一方で、歴史に学ぶ材料を数多く取り揃えてくれてもいる。過去の成功にも失敗にも学ぶ点はたくさんある。問題はその見極めと、現代社会にどう活用するかである。

公正な普通選挙が実施されている国であれば、有権者は目先の利権や人間関係ではなく、相応しい人物に投票することが求められている。それだけに、先進国の多くでポピュリズム（大衆迎合主義）の席巻が見られるのは非常に憂えるべき事態である。本来であれば、世界をリードすべき立場にあるアメリカからしてそれでは、どうしても悲観的にならざるをえない。

この危機の時代、覇権国家とはどうあるべきなのか。戦争・テロの防止や飢餓からの解放など、人類全体、環境問題を含む地球全体を見据えた政策を取ってもらわねばならない。

今現在も世界は動いており、二〇二〇年一月、アメリカ軍がイラン革命防衛隊のソレイマニ司令官を殺害し、第三次世界大戦がにわかに現実味を帯び始め、世界を震撼させている。

本書は「覇権の歴史を見れば、世界がわかる」というタイトルからも明らかなように、国際情勢を理解したくても、メディアから得られる情報だけでは不十分と覚える人びと、ハードルが高すぎると感じている人びと、そもそも何を入り口にすればよいかわからずにいる人たちを読者対象と見込んでいる。

本書の章立ては覇権争いの軸となる「経済」「イデオロギー」「植民地獲得」「宗教観」「文化・文明」「生存圏」の六つに分けて理解しやすくした。それぞれの「本節」で具体例を挙げるとともに、冒頭には「世界の今を考える」と題して現代における状況、後ろには「歴史上の日本では」と題して日本が同じ状況をいかに乗り越えてきたかを記す目次構成を取った。

本書が漠然として不安や迷いを抱く読者のお役に立てるなら幸いである。

令和二年一月

島崎　晋

序章

なぜ、世界では覇権争いが絶えないのか

第1章

「経済」の不均衡で過熱する覇権争い

第2章 異端を排除する「イデオロギー」と覇権

第3章 熾烈な競争を繰り広げた「植民地獲得」

第4章 「宗教観」を世界に広める使命感

第5章 「文化・文明」を誇示するための覇権

第6章 「生存圏」を確保するための覇権

序章

なぜ、世界では覇権争いが絶えないのか

◎欲望を満たす人類の覇権争い

人類が他の類人猿と別の道を歩むようになったきっかけは、食料豊富な**森林での覇権争い**に敗れ、そこから追われたことにある。つまり、人類の歴史は覇権争いにおける敗北に始まるということだが、覇権争いでの敗北が必ずしも滅亡や衰退、不幸に直結しないことは、その後の人類の歴史が証明している。

森林から追い出された人類の祖先たちの間でも争いは絶えなかった。住まいになる洞窟を奪い合うこともあれば、動物が集まる水場周辺を巡る縄張り争い、女性を巡る争いなどもあったはずで、定住農耕生活の開始後はより**肥沃《ひよく》な土地や水源を巡る争い**が起きないはずはなかった。

現代でもまだ見られるが、川の上流の集落が水を独占したのでは、川下の集落が怒るのは当然で、このような水争いは生きる糧《かて》に直結する問題だけに、時代を遡るほど争いの要因になりやすかっただろう。すなわち、覇権争いは**生き残りと食べ物の確保**に始まると言ってよい。

鉄の時代に入ってからは鉄鉱石の産地が、遠隔地との交易が盛んになってからは交易拠点や経路の争奪戦が展開され、農耕牧畜に多くを期待できない地域では特にその傾向が強かった。

一般論で言えば、飛び抜けた強国の出現は周辺諸国にとって大きな脅威であった。共通の敵がいれば同盟軍の盟主として仰ぐにやぶさかでないが、そうでない場合はいつ征服・併合されるか不安でならず、生き残りのために小国同士で同盟を組むか相手を怯《おび》えさせるくらいに軍備を充実させるかして、かえって強国を刺激する例も珍しくなかった。

人間界の覇権争いはボスの座や女性の独占、縄張りを巡るものに限らず、**欲望や自尊心など果てなき感情**による場合が多い。大国同士の覇権争いはその最たるもので、戦略的要衝の確保を掲げながら、現実には欲望の充足に促されているだけの場合が多い。

何にもまして厄介なのは**選民意識や義務感**に起因する覇権争いで、その表看板として**宗教やイデオロギー**を掲げることが多い。**正義や大義、聖戦**などの名のもとに行なわれる侵略は熱狂をともないやすい。恩恵の名のもとに従来とは違う価値観を押し付けられるのは、ときに有益に働くこともあるがその逆のほうが多く、社会の分断を招くことさえあった。

ボスの座を巡る争いに限りなく近いが、権力が世襲される場合、不適格者がトップになる場合も争いが起こった。不適格者に任せておいたのでは全体の存亡にかかわるので、これを打倒しようとする者と、あくまで守ろうとする者、あるいは取って代わろうとする者たちで覇権争いが起こるのもよく見られる現象だった。

総じていえば、覇権争いの根っこにあるのは欲望である。**征服欲と生存欲**の二つに尽きよう。

◎軍事力・経済力だけではない覇権国家の条件

覇権国家になれる条件は一つではない。**軍事力と経済力**を兼ね備えていなければならないと思いがちだが、それは強国がいくつもひしめいている場合で、紀元前のアッシリアは軍事力のみで、近世のオランダは経済力のみで覇権国家となっている。強力なライバルがいなければ、どちらか一方の力が飛びぬけているだけで十分だったのだ。

強国が近隣に三つ以上もある場合は、**人心収攬**《しゅうらん》も必須条件となる。民を鞭打《むち》つばかりの政権では住民の逃亡や反乱が相次ぎ、軍の士気も低下する。敵への内通や寝返りが起こる可能性も高く、それを抑止するには飴《あめ》と鞭を巧みに併用するよう心掛けねばならない。税負担や徭役《ようえき》を重くするにも、民の納得が得られるよう、きちんとした説明が求められるのだ。

また覇権国家の地位を長続きさせたいのであれば、民にも被保護国にも**畏敬の念**《いけい》を抱かせる必要があり、恐怖による支配では長くは続かず、悪名ばかりを残すようでは、覇権国家と言っても悪夢の張本人として語り継がれるのが落ちである。

広大な領土といくつもの保護国を有し、それが少なくとも五十年以上に及ばないことには覇権ではなく、単なる占領である。領土もただ広いだけでなく、多くの人口を抱えることに加え、いくつもの異なる民族、言語、宗教を包み込みながら、安定統治をすることが求められる。

分断統治や同化政策が、一定の成果を収めた例はあるが、それが現在にまで続く紛争の種になっている現実を見れば、肯定的に捉えるわけにはいかない。

仮に、覇権国家と呼ぶに値するのは、**持続的な平和と安定を維持**できる勢力のみと断言すれば、征服した国家や人民に最低限の義務を課すのみで、伝統文化や宗教、言語などには一切干渉も変更も強いなければ、理不尽な理由で地方統治者を交代させることもなく、双方に益があ**るソフトな統治**こそが長続きの要諦《ようたい》である。

◎覇権国家は必ず衰退する

十九世紀から現在まで、一貫して覇権国家の地位にある国は存在しない。イギリスはすでにその座から陥落し、アメリカは十九世紀段階ではまだその地位になく、ロシアには断絶期間があり、フランスとドイツは浮き沈みが激しく、十九世紀末から二十世紀前半の中国に至っては列強の半植民地状態にあった。

長らく覇権国家の地位にあったオーストリア、オスマン帝国、大清《しん》帝国も近代の到来直前に下降線を描き、大航海時代を席巻したスペイン、ポルトガル、オランダにしても同様である。一代で崩壊したアレクサンドロス大王のマケドニアは別として、アケメネス朝やローマ帝国、モンゴル帝国など広大な版図を築いた超大国も衰退と滅亡を免れなかった。栄枯盛衰は仏教の観念だが、現実を直視すれば、世界共通の定理なのかもしれない。

覇権国家が必ず衰退する要因として、一番に挙げるべきは慢心であろう。驕《おご》り、過信、自身への過大評価と言い換えてもよい。自分たちは神に選ばれた優秀な存在で、他から学ぶべきものは何もないという声が多数を占めるようになったらもう黄色信号である。

覇権を築くまでには、例外なく無理に無理を重ねてきているから、時と場合に則したイノベーションを重ねて続けないことには現状維持さえままならなくなる。時代を経てもイノベーションが打ち出せない、停滞したままで良いと感じ始めたときには、もう衰退は避けられないのだ。自省や内省を自虐と批判し、それらを唱える者を非国民呼ばわりしたのでは、その国はもう終わっている。

問題提起から、具体的な取り組みに着手するまで、いかに速やかに運べるかが覇権国家のままでいられるかどうかの大きな別れ道でもある。

現実問題として、大きな痛みと苦労をともなうイノベーションには、**既得権益層の抵抗**が強く、実行に移すのは難しい。子々孫々のことより、**現実の自分たちを優先**させるエゴを克服できない限り、覇権国家の衰退は避けられないのである。

さらに、これから先には覇権争いの舞台が拡大され、海洋や北極や南極といった極地から、宇宙へ拡大するのは避けられそうにない。

すでに鍔迫《つばぜ》り合いも始まっており、宇宙では月や火星の領有権だけではなく、制空権ならぬ**制宙権争い**が熾烈になるのではないかと思われる。

人工衛星の質と数で勝る国が、**情報戦争**で圧倒的な優位を占めるだろう。他国の人工衛星を破壊しないまでも、**通信の遮断や情報操作**が思いのままとなれば、ＡＩ搭載の武器を使用できなくすることができ、一滴の血も流すことなく勝敗を決する覇権争いが訪れる日は、もう目前に迫っているのかもしれない。

第1章

「経済」の不均衡で過熱する覇権争い

世界の今を考える

◎露骨さを増すトランプ発言の真意

「グリーンランドを買いたい」

一国の元首がこんな発言をしても、たいていはジョークとして受け流されるに違いない。グリーンランドはデンマーク領の巨大な島で、全土の八五パーセントが氷河と万年雪で覆われている不毛の地なのだから。

だが、発言者がアメリカの**ドナルド・トランプ大統領**となれば話は別である。トランプの発想は政治家ではなく経営者のそれに限りなく近いから、ジョークであるはずはなかった。事実、デンマークが公式に要求を拒絶すると、トランプは機嫌を損ね、予定していたデンマーク訪問を直前になって取りやめにした。

トランプの狙いはおそらく、グリーンランドの地下に眠る鉱産資源にあった。グリーンランドは厚い氷河に覆われているため、これまでは採算に合わないとして開発は遠い未来のことと考えられていたが、**地球温暖化の影響で北極圏の氷河と万年雪の溶解**が急速に進みつつあり、今世紀の半ばには北極全体にほとんど氷がない状態になると予測されている。

このことは地球の環境問題として見れば大問題だが、グリーンランドの鉱産資源開発が現実味を帯び、中国とロシアは入念な計画によるものかどうかは定かではないが、いち早く利権獲得に動きだしている。

北極の氷がなくなれば、**北極海航路**が開設される。日本などの東アジアとヨーロッパを結ぶ海上ルートは短縮されるうえに、マラッカ海峡やソマリア沖の海賊問題のリスクから解放されるメリットもある。だが、それは夏期に限定されるのかもしれない。

二酸化炭素の排出過多による地球温暖化を否定し、二〇一九年十一月にパリ協定からの離脱を国連に通告したトランプも、温暖化そのものは認め、それがもたらす利益には関心が強いのか、出遅れを挽回すべく、グリーンランドの買い取り発言に及んだものと考えられる。

鉱産資源には限りがあり、すでに開発中のものは遠からず底をつく。いまだ手付かずの土地に投資をしようというのではなく、島ごと買い取りたいとの要望は、いかにも経営者出身らしい発言であった。

◎激しさを増す米中覇権争いの行方

トランプの掲げる「**アメリカ一国主義**」と「**強いアメリカ**」の主張は、アメリカの衰退を象徴すると同時に、ここ四十年で急成長を遂げた**中国に対する危機感**の表われでもある。

アメリカの対東アジア貿易は大幅な赤字を記録しているが、対中国貿易赤字は対日本のそれよりも多く、トランプの要求に従順な日本に対し、中国は不利を承知で**正面からの対決姿勢**を見せている。面子《めんつ》の点から互いに引くに引けない状況で、今後の展開から目が離せない。

知的財産権の侵害もこの問題の一部で、莫大な投資と創意工夫の結晶である知的財産を無断

・無料で使用するなど、発展途上国ならぬ経済成長を遂げた中国に容認し続けるわけにはいか

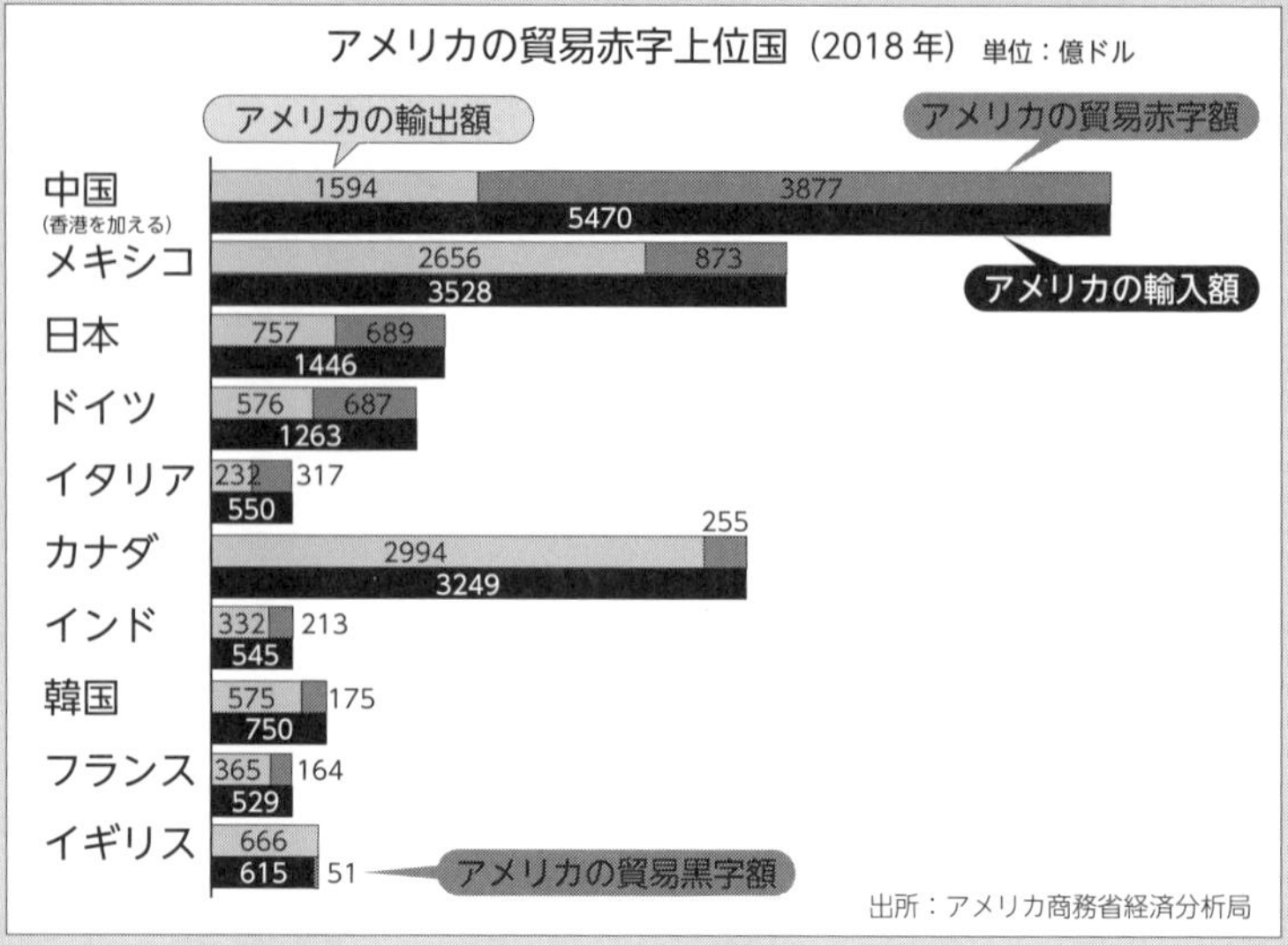

ず、著作権や特許全般について国際ルールに従うよう促すのは、アメリカならずとも当然の姿勢と言える。

アメリカにとっては中国が掲げる**二十一世紀版のシルクロード「一帯一路《いったいいちろ》」**も警戒すべき政策である。中国主導でユーラシア大陸からアフリカ大陸、太平洋までも包摂する巨大経済圏を築こうというのだから。

EUからも同調する国が相次いでいることが、アメリカをよけい苛立たせている。ただしその中身は、先進国なら返済の見込みのない借款《しゃっかん》には応じないところ、中国にはその基準がないに等しく、返済が滞ればその設備を九十九年間借り上げるという、**十九世紀の帝国主義政策**を彷《ほう》彿《ふつ》とさせるものばかりである。

現在の香港《ホンコン》を巡る問題もそうだが、**一党独裁の中国**では、現在ならば**習近平《しゅうきんぺい》**国家主席の一存で政策が一八〇度変わりうるので、これまた予断を許さない状況にある。

一方のアメリカは、衰えたとはいえ超大国であることに変わりなく、強大な権限を持つ大統領を擁しながら議会制民主主義も健在である。トランプとしては、四年に一度の大統領選挙に勝利するためには、マイノリティーの大半を敵にまわしている現状では、富裕層に限らず、白人層をほぼ完全に取り込む必要があり、そのためには製造業や農畜産業といった、負け組にも良い顔をしなければならない。だが、TPP（環太平洋パートナーシップ協定）から離脱したうえ、中国との貿易戦争が長期化すれば農村部に与える損害は極めて大きく、あとあとアメリカ全体がそのツケを支払わなければならなくなる。

自己の当選を優先させるか、アメリカ全体の利益を優先させるか、国民とトランプ双方の判断にアメリカの未来が託されている。

◎ブレグジットの行き着く先

トランプ政権はイギリスの**ブレグジット**（EU離脱）、それも**合意なき離脱**を支持してきた。だがイギリスからの企業流出は加速しており、離脱後のイギリスでは物価上昇も不可避とあって、離脱後に待ち受けるのはデメリットばかりだ。孤立政策のもとで繁栄を謳歌した十九世紀とは、バックボーンがすっかり変わっている事実から目を背けているとしか思えない。

合意なき離脱後に待ち受けるのは、経済的な対米依存とイギリス本体の解体危機で、スコットランド独立の動きが再燃するだけでなく、北アイルランドがアイルランド共和国と統合する可能性も高まるに違いなく、すでにそれに向けての動きも活発化している。下手をすれば大英帝国の残滓《ざんし》である英連邦までもが消滅する恐れもあり、まさしく前途多難と言うほかない。

ブレグジット支持派は、EUに政治的主権を奪われることを嫌っているようだが、現在のEUにそこまでの力はなく、ドイツの欧州議会選挙では**EU懐疑派**が議席を大きく伸ばし、ポーランドやハンガリー政府がEUの理念と相反する**右傾化**をあらわにするなど、通貨統合と出入国管理の省略を除けば、EUの機能不全が問われてもおかしくない状況にある。

そもそもEUは、米ソ二大超大国の間にあって存在感の薄れた**ヨーロッパの再興**、統一市場を作って**第三勢力**となることを目指す運動に始まる。

政治的な統合は、ギリシア・ローマ文明やキリスト教といった**共通の文化・歴史基盤**を持つという幻想の延長線上に生まれたもので、必須の目標ではなく、西欧諸国が世界の覇権を握っていた時代の再来を狙っているとすれば、それこそ夢物語もいいところだ。

政治的統合までいかずとも、通貨統合と出入国管理の省略を維持できるだけでもよしとすべきであろう。

機能不全といえば、EUよりも**国際連合**（国連）および先進国や新興国、国際通貨基金（IMF）、世界銀行などからなる**G20**のほうが深刻である。

国連の非効率と常任理事国による拒否権の乱発は、今に始まったことではないが、そろそろ根本的な策を講じねば国際連盟の二の舞になりかねず、すでに十分な兆候が表われている。

この二つの問題では、G20のほうが比較的解決が楽であろう。国連のほうは第二次世界大戦の戦勝国で構成され、そのなかのアメリカ、ロシア、中国が、**拒否権**という特権を容易には手放すとは思えず、この三カ国が大幅な譲歩をしない限り、根本的な解決は不可能に近い。

国連に変わる新たな国際機関を創設するにしても、右の三カ国が揃って加盟しないことには何ら効力を発揮しえないので、実に難しい問題である。

衰えたとはいえ、アメリカが世界一の軍事大国であることは変わらず、問題なのはトランプ政権がアメリカ一国主義を掲げながら、**「世界の警察官」**としての役割放棄を明言したことで、これでは金銭で防衛と紛争解決を請け負う傭兵《ようへい》国家と呼ばれても仕方あるまい。

イギリスは分不相応な状態になっても覇権国家としての矜持《きょうじ》を保ち、ぎりぎりまで責任感と自制心を維持していた。アメリカも冷戦終結後しばらくはその姿勢を受け継ぎ、**国際秩序の維持**に務めてきたが、いまだ覇権国家と呼ぶに値する状態で責任の放棄を明言したのだから、世界中が不安を覚えるのも無理はない。

世界的規模の覇権国家は十七世紀のオランダを嚆矢《こうし》とするが、地域レベルの覇権国家は紀元前の昔から存在する。それらがどのようにして覇権国家となり得、どうしてその地位を失ったかを眺めていけば、現在を生きるわれわれに何かしらヒントとなるものが見つかるはずである。

本章では、古代地中海世界にまで遡って見ていくことにしたい。

【ローマが強大化したのは食の確保のためだった】

◎食糧自給の手段として覇権を握った古代ローマ

二十世紀のアメリカがそうであったように、覇権を手にするには**経済的な裏付けが必要**だが、その逆もまた然りである。経済的基盤を確保するために覇権を握らなければならないこともあり、古代ローマの場合は後者であった。

食糧の自給ができず、輸入が頼みとあれば、その輸送路の安全確保が重要で、輸送費用を下げるにはそのルートを完全に掌握するのが最善の手段でもあった。

古代ローマ帝国は一都市国家に始まりながら、最大版図は地中海沿岸一帯を覆い尽くしたうえ、ヨーロッパ大陸の半分以上をも支配下に置くまでになった。

その間に一番苦戦させられた相手は現在のチュニジアにあったフェニキア人の植民都市**カルタゴ**で、ローマはこれを滅ぼすのに前二六四〜前二四一年、前二一八〜前二〇一年、前一四九〜前一四六年の三次に及ぶ**ポエニ戦争**を戦わなければならなかった。

ポエニ戦争はカルタゴの滅亡をもって終わりとなるが、ローマ側も第二次ポエニ戦争において、イタリア半島全土の畑と果樹園を蹂躙《じゅうりん》されるなど大打撃を被っていた。

◎「パンとサーカス」を支えた地中海覇権

ただでさえ食糧の自給ができずにいたイタリア半島は、第二次ポエニ戦争により被った打撃で、ますます輸入食糧に頼らざるをえなくなった。少しでも安く食糧を入手するには、自前で海上貿易を行なうのがよいと気づき、ようやく戦火に身を投じる機運が高まりを見せた。

カルタゴに続いて、マケドニアやギリシア諸都市とも戦いを繰り広げ、ギリシアの都市国家コリントスを徹底的に破壊したのも同じ理由に拠る。

東地中海の制海権をも握り、地中海沿岸で最大の穀倉地帯であるエジプトとシリアをも支配下に置いたことで、ローマはようやく食糧への不安から解放され、ローマ市民権を持つ者たちに無料で小麦を配給することもできるようになった。

第二次ポエニ戦争で自作農が没落し、**国民皆兵から募兵へ**の展開が余儀なくされて以降、食糧の安定確保はますます至上命題と化し、できるだけ廉価で輸入するには他者の手を通さず、買い付けから輸送まで自分たちの手でするのが都合がよかった。

くり返しになるが、古代ローマの地中海における覇権は本来の目的ではなく、食糧を安定確保するための手段に過ぎなかった。

「**パンとサーカス**」という言葉が生まれたように、ローマ市民に**小麦と娯楽**を無料ないしは廉価で提供することが、ローマ皇帝にとって最大の義務となった。

【戦利品への欲求が生んだイスラーム世界の急拡大】

◎覇権に無縁の地に誕生したアラブ・イスラーム帝国

二〇一九年九月、サウジアラビアの製油所が攻撃を受けたことで、サウジアラビアとイランの緊張が高まっている。両国はもう何年も前から中東イスラーム圏及び英語で「ガルフ(湾岸)」と呼ばれる海域の覇権を巡って水面下での争いを続けている。それが兵器を使っての戦争ともなれば一大事で、しばらくは目を離せない状況が続きそうだ。

サウジアラビアやアラブ首長国連邦(UAE)などの湾岸産油国が、国際的に強い立場でいられるのは地下に埋蔵されている潤沢な石油資源のおかげだが、七世紀以前のアラビア半島は覇権争いとは無縁の地域と目されていた。インド洋と地中海を結ぶ交易ルートの上に位置するという点を除けば、紅海沿岸を除いては戦略的な価値が見いだせなかったからである。

そこに居住する民も湧き水の出るオアシスを拠点にして、細々と交易を営む交易の民か砂漠を転々とする遊牧民に限られ、全体としてはかなりの人数になるといっても人口密度は低く、人口過剰になれば西アジアに流出するのが常で、半島全域を統一する人物や勢力が現われることとは一度としてなかった。

世界史から取り残された観さえあるアラビア半島の歴史を変えたのが、メッカに生まれたムハンマドで、彼とその四人の後継者の代にアラブ・イスラーム帝国はアジア・アフリカの二大陸にまたがる大勢力へと成長を遂げ、疲弊したビザンツ帝国とササン朝に代わり、中東の覇権を掌握した。

その原動力となったのは、新宗教に対する信仰心と言いたいところだが、実のところそれは副次的なもので、砂漠に点在していた遊牧民たちを戦場に駆り立てたのは戦利品に対する欲求だった。細々とした隊商交易とは桁違いの利益が得られるのだから、過去のわだかまりを捨てて一致団結することもやぶさかでなかった。

戦利品はガニーマまたはファイと呼ばれ、カリフの取り分である五分の一を除いた残りが戦闘参加者に分配された。具体的には土地、金品、家財、家畜に加え、捕虜とその身代金で、女性や子どもは奴隷として売り飛ばすのが普通であった。

ウマイヤ朝時代になると、ファイは分配されることなく、ムスリム（イスラームの信者）全体のために保有される征服地のみを指すようになり、そこでの耕作を希望する者はハラージュ（土地税）を支払わねばならなかった。

中東の覇権を掌握すると、東西交易から得られる利益もイスラーム世界が独占することとなった。海路と陸路のどちらでも、イスラーム世界を通過しないでインドや東南アジアの物産がヨーロッパに届くことはなく、征服戦争が一段落してからは、交易からあがる利益が繁栄の源となった。

◎制裁で揺らぐイランの湾岸覇権

時代は下って二十世紀の**東西冷戦**の最中、アメリカはイスラエルのほかに中東の憲兵役を置こうと、パフラビー王朝下のイランに目をつけた。しかし、一九七九年にパフラビー王朝が倒され、イラン・イスラーム共和国が成立すると、アメリカは親米を掲げるサウジアラビアにその代理を期待するようになったのだ。

元来、サウジアラビアはイスラーム誕生時の純粋な状態に立ち戻ることを掲げ、**偶像崇拝の禁止や女性の隔離**を徹底させる**ワッハーブ運動**の急先鋒サウード家による王国で、自由と民主主義を掲げるアメリカとは相容れない存在であるはずが、イスラーム全体のなかでは少数派のシーア派を奉じるイランを共通の敵とする点で利害が一致し、軍事同盟を結ぶに至った。

以来サウジアラビアとイランの対立は、中東及びガルフの覇権争いであると同時に、アメリカとイランの対立ともなり、イランは長期に及ぶ経済制裁に苦しめられながらも、さまざまな抜け道を通じて、粘りに粘り続けたまま今日に至っている。

アメリカは石油の輸入国から輸出国に転じたとはいえ、アメリカの同盟国すべての需要を満たすには到底足りず、**中東の持つ戦略的価値**は依然として高い。もしガルフやその出入口であるホルムズ海峡で戦火が起きれば、世界経済に甚大な影響が及ぶことは避けられそうにない。

【前人未踏の巨大経済圏を築いたモンゴル帝国】

◎モンゴルの覇権で暗躍したムスリム商人

アジアとヨーロッパにまたがる覇権国家といえば、現在ではロシアがそうだが、遠く遡ればイランのアケメネス朝、アレクサンドロス大王のマケドニアがあり、世界史全体を眺め渡せば、モンゴル以上に大きく歴史を動かした存在はなかった。

現在のモンゴル国と中国の内蒙古自治区では、**チンギス・カン**（?〜一二二七年）が民族英雄として高らかに顕彰されているが、モンゴル民族やモンゴル高原といった民族名や地名が国際的に何ら違和感なく受け入れられているのは、チンギス・カンという稀代の英雄と古今未曽有の大帝国の存在があればこそのことだった。

十三世紀に出現した**モンゴル帝国**はアジアの東西だけでなく、西は東欧、東は東南アジアの島嶼部までをも一つの商業圏としてつなげた最初の大帝国であった。

モンゴル軍団の強さの秘密は、沈着冷静にして確かな戦略眼を持つチンギス個人に負うところが大だが、大帝国の出現を待望した**ムスリム商人**たちの積極的な協力も軽視できない。

商人が求めるのは、治安のよさと税関の少なさで、国境を越えるたびに荷物検査をされ、そのたびに通行税を支払わされるのも悩みの種だった。強大で安定した国家が出現すれば、それらの問題はすべて解決するという彼らの期待に応え得ると見なされたのがチンギス・カンで、チンギスとその子、孫たちの代までにモンゴル帝国の版図は東アジアから西アジアにまで及び、ロシアや東欧、朝鮮半島の高麗などは属国化した。

東南アジアでは、ベトナムのチャン朝とジャワ島のシンガサリ王国とその残党が、モンゴルの遠征軍を撃退しながら、結局は朝貢を受け入れた。それが中華式の朝貢であれば損はないと判断したのだろう。日本だけはあくまで拒否を貫いたが、これにも抜け道があって、天龍寺《てんりゅうじ》船《ぶね》という寺院の建立《こんりゅう》に目的を特化した貿易船の派遣は許された。

形式はどうあれ、モンゴル帝国はアジアからヨーロッパの一部に及ぶ覇権を確立した。それが世界史的に意味するものは、**銀を共通の価値基準とする巨大な商業圏**の出現であった。関税をかけられることがなくなったユーラシア大陸の風通しは陸海ともに一気によくなり、商業活動の活性化と同時に、人びとの視野を大きく広げることにもつながった。

世界の広さと同時に、東方から来ることができるなら、その逆もありだと気づかせ、後の大航海時代を誘発する一因ともなった。

◎冒険への欲求が世界帝国へと押し上げた

モンゴルによって滅ぼされた国は数知れず、中国大陸の金《きん》と西夏《せいか》や、中央アジアのナイマン、イスラーム世界のホラズム・シャー朝やアッバース朝もそうで、モンゴルの侵攻は形骸化・弱体化していた各地の国家や王朝を滅ぼし、新興勢力の台頭を促すきっかけともなった。

だが、モンゴル自身に覇権の確立という意識があったかどうかは疑問だ。遊牧諸集団を結集させた結果、発散場所を求めて行けるところまで行こうという冒険的な欲求が垣間見られるからだ。地球規模で見れば、モンゴルが西征したのは温暖な時期で、草原地帯が中央アジアからハンガリーまで連なり、騎馬軍団を進撃させるにも馬の餌の確保にも都合がよかった。

二度にわたる西征も、カアン（二代目以降の最高君主の称号）の訃報が届いて中止となったが、それがなければどこまで進撃していたことか。素直に投降した現地勢力を使いこなす術《すべ》にも長けていたから、ことに拠ればヨーロッパ大陸全域をも属国化していたかもしれない。

モンゴル軍団の意図はともかく、条件さえ整えばアジア全土はおろかユーラシア大陸全域の覇権を握ることも夢ではないと証明された意味は大きく、良くも悪くも後世の人びとの欲心をくすぐるに十分な効果を維持し続けたのだった。

古くはマケドニアのアレクサンドロス大王の例もあるが、おそらくモンゴルはその前例を知らなかっただろう。近代ではナポレオンとヒトラーにも似た傾向が見受けられるが、ヒトラーの場合、自分が劣等と判断した相手の根絶をも意図していたので、モンゴルのそれとは似て非なるものである。

【金儲けを無視した明の大航海時代】

◎インド洋の覇権を握る好機だった鄭和の大航海

昨今の中国は「一帯一路」の名のもと、ユーラシア大陸からアフリカ、太平洋にまで及ぶ巨大経済圏の構築を目指しているが、実は過去にもそれが実現性を帯びたことがあった。
西洋のスペイン・ポルトガルによる大航海時代より早い、明《みん》の第三代皇帝・永楽帝《えいらくてい》（在位一四〇二～一四二四年）の時代がそれで、南シナ海やインド洋を舞台とした大航海が行なわれていた。

これを中国の歴史では「下西洋（西洋下り）」と称し、実際に艦隊の指揮を執ったのは永楽帝の信任が篤い宦官《かんがん》（去勢され後宮に仕えた者）の鄭和《ていわ》（一三七一～一四三五年頃）であった。
鄭和の遠征は西洋の大航海に先立つこと一世紀半前。艦隊の規模や一隻あたりの船舶の大きさ、参加した人員の数などは、コロンブスやヴァスコ・ダ・ガマの艦隊などはその比ではなく、当時においては大艦隊と呼ぶに相応しいものだった。

鄭和の大航海の目的は、南海諸国に朝貢《ちょうこう》を促すことにあった。その重要性は現代人に理解しづらいかもしれないが、前近代の**中華思想**（華夷《かい》思想）と儒教《じゅきょう》の論理に従えば、それこそ皇帝の威光を高めることに直結した。朝貢国の多さは皇帝の徳の高さを計る大事な指標で、同じ朝貢使節でもより遠方から訪れる者のほうが歓迎された。皇帝の徳がそれだけ遠方まで届いている証拠とされたからである。

そのため、朝貢を促す使節を南シナ海だけではなく、インド洋にまで派遣したのだ。鄭和の本隊が到達したのは、ペルシア湾（アラビア湾）の出入り口に位置するホルムズまでだったが、分遣隊はイスラーム最大の聖地メッカやアフリカ東海岸にまで到達していた。

大艦隊を組み、二万人以上の兵士をともなったのは、誤解や交渉のもつれで戦闘になった場合や海賊などに備えるためで、事実、スリランカでは交渉のもつれから戦闘を交えている。

また艦隊の指揮官として鄭和が選ばれたのは、彼がムスリムであったこととも関係する。すでにスマトラ島やマラッカはイスラーム化しており、インドより西は完全にイスラームの世界で、信仰を同じくする者のほうがうまく事を運べると考えたのだろう。

◎貿易赤字が増えても面子を重んじる価値観

鄭和による大航海の成果は、永楽帝の威光を内外に示すという点では成功と言えた。帝位簒《さん》奪《だつ》者という後ろめたさから逃れられない永楽帝としては、多少なりとも汚名を返上したという点でもそれなりの効果があった。

しかし、当時から指摘されていたことだが、経済面で言えば一連の南海遠征は労多くして何ら実りなく終わった。朝貢には貿易がともなうが、皇帝の徳を誇示する意味から、最低でも三倍の価値のある返礼品を下賜《かし》するのが漢王朝以来の慣わしで、朝貢使節が増えれば増えるほど貿易赤字が増える仕組みであった。

しかも朝貢品の大半は実用性のない珍奇な品で、なかには生きたキリンもあった。これでは遠征に反対の声が高まるのは避けられず、永楽帝の孫の宣徳帝《せんとくてい》は永楽帝の事業をいきなり打ち切るのは不孝として一度は実施したが、鄭和の死を機会に派遣を行なわなくなった。

かくして明の大航海は永楽帝の自己満足に終わったが、当時の明の国力からすれば、南シナ海はおろか、インド洋沿岸にも覇権を確立させることは不可能ではなかった。

港湾都市に一定の役人と兵士を常駐させるだけで、自然と商人が定住するようになる。覇権を唱えるだけなら拠点の確保によって、点と線を支配するだけで十分である。

経済を支配すれば国政をも左右することができたのだから、実利を重視するならそれを実行に移す絶好の機会であった。西洋諸国が進出してくる前に地歩《ちほ》を固めておけば、その後の歴史は大きく変わり、**西洋による大航海時代**もそう容易には運ばなかったに違いない。

ちなみに明は建国以来、**海禁政策**を執っていた。朝貢形式以外の貿易はおろか、国防上の理由から出入国にも厳しい制限を設けるなど、その様子は日本の鎖国政策の先駆けと呼べるもので、貿易立国という発想など浮かびようもなかった。

産業革命に成功したイギリスは販路を求めて東洋へ

◎イギリスが目を付けたインド貿易

一九九〇年代に始まった通信・情報革命はいまだ継続中だが、経済上の革命が長きに及ぶことはむしろ当然であった。

イギリスの産業革命がそうであったように、薄利多売で儲けを得ようとするなら市場の絶えざる拡大が必要で、その意味ではイギリスの産業革命は植民地の獲得と不可分の関係にあった。

産業革命は、フランス革命やロシア革命とは異なり、何年の何月何日に始まったと特定することができない。イギリスの産業革命は一世紀以上の長きに及ぶ変化であったから、本来なら革命と呼ぶに相応しくないのだが、人類誕生以来の長い歴史から見れば、やはり革命的な出来事に違いない。

スペインとポルトガルに少し遅れて、イギリスとオランダ、フランスなども大航海時代に参入した。香辛料の原産地はポルトガルかポルトガルからそれを奪ったオランダの手中にあり、もはやイギリスの出る幕はなくなっていた。そこでイギリスはまだ他国の力が十分に及んでいない地域、それも香辛料以外の産品に目を向けるしかなかった。

一六〇〇年設立のイギリス東インド会社がまず目をつけたのは**インドの綿織物**だった。イギリス本土の大ブリテン島は羊の放牧が盛んなことから毛織物産業が発達していたが、綿織物は毛織物よりも軽いから動きやすく、十分需要が見込めると踏んだのである。

インド亜大陸で、綿花の栽培がもっとも盛んなのは西部のグジャラートだったので、イギリス東インド会社は十七世紀半ば以降、東部のガンジス川河口のカルカッタ（現在のコルカタ）、南東海岸のマドラス（現在のチェンナイ）に加え、西海岸のボンベイ（現在のムンバイ）に支店を設け、本格的な対インド貿易に乗り出した。

支店三カ所が離れた場所に設けられたのは、当時のインド亜大陸では交通網の整備がなされておらず、**ムガル朝**の勢威にも陰りが見えていたことによる。

ムガル朝の君主はペルシア語由来のパードシャー（皇帝）の尊号を用いていたが、皇帝と名乗るからはその下には王侯を名乗る者も多数存在していた。実際のところ、ムガル朝は帝国を名乗りつつも直轄地は意外なほど少なく、それ以外の地域では何百人もの**藩王**（マハラジャ）を通しての間接統治がなされていたから、貿易拠点も離れた場所に複数設ける必要があったのだった。

◎機械製の綿製品がイギリスを覇権国家へと押し上げた

インド産の綿織物は、イギリス本土で大歓迎された。ところが、イギリス産の毛織物はインドではさっぱり売れず、東インド会社は対価を国際通貨の銀で支払うしかなかった。

イギリス産の毛織物が売れなかった理由は単純明快だった。毛織物は綿織物よりも防寒性に優れているが、インド亜大陸でそこまでの防寒具が必要とされる地域は北部のヒマラヤ山脈一帯に限られ、それ以南では既存の綿織物で十分用が足りたからだった。

事前の市場調査の不備は決して他人事ではなく、現代の日本企業も例外ではない。

ある紳士服の大手会社が台湾進出を図ったが、まったく客が寄り付かなかった。不思議に思って調査をしたところ、台湾でビジネス・スーツを着る習慣は、一部大手企業にしかないことが判明したという笑い話のような実話もある。同じく日本の大手飲料メーカーが中国大陸への進出を開始したときも、事前の市場調査を怠ったために出足で躓《つまず》いた例がある。

商売相手の文化や嗜好《しこう》を調査をせず、商品を持ち込めば必ず売れるという決めつけは現在でも珍しくなく、イギリスの教訓は後世に活かされなかったと言える。

このままではイギリス東インド会社も、**銀の流出**が続くばかりだ。状況を好転させるにはインドで売れる物を作るしかなく、このとき着眼されたのが、インド産綿織物が完全手作りのため、品質に大きなばらつきのある点だった。

インド産の手作り最高級品には及ばないが、品質が均一でなおかつ廉価な物を作れば十分に対抗できるのではないかという点に一筋の光明を見出した。そのためには**機械による大量生産**に頼るほかなかった。

効率よく作業するには、機械も人力以外の動力で動かす必要があった。かくして動力の発明から手を付けられたのがイギリスの産業革命で、初期投資こそかかるものの、それを回収した後は売れば売るほど儲かるとあって、ここにイギリスが「**世界の工場**」となる第一歩が築かれた。それは同時にイギリスがオランダに代わり、**世界貿易における覇権国家**として躍り出る発端でもあった。

安定した品質に加え、値段も安いとあって、機械製のイギリス産綿織物はインドにおいて瞬く間に地元産のそれを駆逐し、イギリス本土へ莫大な富をもたらすようになるまで、さして歳月を要しなかった。

ちなみに、イギリスによるインドの植民地化は、一七五七年にイギリス東インド会社軍が、フランス東インド会社軍の支援を受けたベンガル州長官の率いる軍を破った**プラッシーの戦い**を端緒とし、一八五八年のムガル朝滅亡と、東インド会社からイギリス政府による直轄への移行を経て、すべての藩王との個別条約締結が済み、一八七七年に**ヴィクトリア女王がインド皇帝に即位**したことをもって完成した。

イギリス本国では国王であったヴィクトリアが、インド亜大陸では女王となったことで、大英帝国は初めて皇帝を擁する国家となり得たのだった。

【アヘン戦争の敗北でイギリスの覇権に屈した清】

◎貿易の不均衡で始まったアヘン戦争

米中貿易戦争が示すように、貿易不均衡は古くて新しい問題で、近代でもそれが戦争原因になることがあった。かつて、より多くの国や地域に市場開放を求めるには、強引な武力発動も辞さなかった。イギリスの場合で言えば、悪名高きアヘン戦争がそれだ。

インドで味を占めたイギリスの資本家たちは、綿織物のさらなる販路拡大と毛織物の販路を求め、大清《しん》帝国（清王朝）統治下の中国に大きな期待を寄せた。

だが、清王朝は「地大物博《ちだいぶつはく》（国土が広大で物産も豊富）」との観点から、朝貢貿易しか認めない立場を堅持していたため、イギリスは貿易量を増やすことができずにいた。その上に清政府は対外貿易の窓口を広州《こうしゅう》一港に限り、「広東十三行《かんとんじゅうさんこう》」と称する特定の仲買商人の牙行《がこう》にしか輸出入手続きを許していなかった。

イギリス政府は清政府に対して、一七九三年と一八一六年の二度にわたって使節を送り、貿易制限の撤廃を求めたが、交渉は物別れに終わった。その間の一七九六年にはアヘン輸入の禁止令も出されたことから、イギリス側はますます苦しい立場に追い込まれた。

何が苦しいかと言えば、イギリス本土では喫茶の習慣が大衆にまで広まり、茶葉と茶器の需要が急速に延びていた。それに対してイギリス側には、清の商人から歓迎される輸出品がなかったことで、茶葉などの代価を銀で支払うほかなく、それにはおのずと限界があった。

そこでイギリスが目をつけたのは、清政府が禁止していた**インド産アヘン**である。アヘン貿易は禁止されていても、密輸という手段があった。貿易船が港へは入らず、沖合で取引をすれば発覚する恐れも低い。イギリス側は東インド会社の社員たちが個人貿易商として、中国側では広東十三行に属する者もいればそうでない商人も続々とこれに参入した。

この密貿易が軌道に乗ると、銀の流れが反転するまでさして歳月がかからなかった。清政府が銀の流出とアヘン中毒者の急増に危機感を覚え、アヘン貿易の徹底取り締まりに着手するにいたり、一八三九年九月、ついにアヘン戦争の勃発となったのである。

◎強引に進められた市場の開放

戦争はイギリスの圧勝に終わり、一八四二年八月に締結された**南京条約**《なんきん》では、広州に加えて上海《シャンハイ》、寧波《ニンポー》、福州《ふくしゅう》、厦門《アモイ》の五港を併せて開放させ、賠償金の支払い、領事裁判権の承認、特許商人による公行《こうこう》制度の廃止などを取り決めた。ここにアヘン貿易の規定がないのは、イギリスが体面を重んじたからで、アヘン貿易の自由化は暗黙の了解事項とされた。

だが、その後の経緯はイギリスの産業資本家たちを満足させるものではなかった。一番の関心事項であった綿織物や毛織物の取引量が一向に増えなかったからだ。それは中国の気候風土に合わないことに加え、中国国内の流通事情にも起因していた。

だが、イギリス政府は産業資本家たちの支持を維持するため、さらなる強硬手段に出る必要に迫られた。そして引き起こされたのがフランスと組んだ一八五六年十月に始まる**アロー戦争**で、第二次アヘン戦争とも呼ばれる。

フランスとの共同出兵だったので進軍もスムーズに運び、天津《てんしん》から上陸して北京をも占領した。一八五八年に締結した**天津条約**と、一八六〇年締結の**北京条約**により、天津など十一カ所の開港、キリスト教の布教の自由化、領事裁判権の整備、外交使節の北京常駐、外国船舶の内河航権の公認、外国人の内地旅行の自由化、賠償金の支払い完了までの広州城の保護占領、中国人の海外渡航の公認、イギリスへの九龍《クーロン》の割譲などが取り決められた。

また一八五四年以来、上海海関で試験採用されていた外国人税務司制度を、すべての開港場でも実施すること、その機構の統轄者である総税務司にイギリス人を任命することも決められ、イギリスの中国に対する経済支配が幕を開けることとなった。

イギリスが覇権を確立させるに先立ち、**まずは経済を握る**というやり方は、すでにインドやオスマン帝国を相手に実践済みで、それゆえ常套手段ともなった。他の列強もこれに倣《なら》い、最近ではかつての被害者であった中国までそれに倣っているのは、実に哀しい現実である。

覇権を維持したいイギリスはインド死守に躍起となった

◎イギリスを脅かす新興勢力の出現

イギリスで、ＥＵから離脱するブレグジットを支持するのは高齢者層に多い。彼らは、現実として体験していない、十九世紀の繁栄を極端に理想化する傾向がある。だが、大英帝国の繁栄は、植民地の存在があってのことだったことをまったく考慮に入れていない。

大英帝国の繁栄は、インド抜きでは語れない。また、中国でも香港《ホンコン》を植民地化し、上海をはじめ開港都市数カ所に、治外法権の外国人居留区の租界《そかい》を設けさせた。税関も管理下に置き、長江《ちょうこう》（揚子江《ようすこう》）流域でも多大な利権を獲得するなど、経済支配を着々と進めていった。

イギリスが「世界の工場」であった時代は意外と短く、十九世紀後半にはドイツやロシア、アメリカ、日本など後発国の猛烈な追い上げを受け、純粋な貿易利潤だけなら大幅赤字に転じていた。ただし、当時は国際貿易の決済は英ポンドで行なわれていた関係上、利息や配当で得られる金額が途方もなく、「世界の工場」から「**世界の銀行**」「**国際金融の中心**」へと変じただけで、覇権国家であることに変わりはなかった。

莫大な貿易赤字は植民地インドと半植民地化したオスマン帝国に強制輸入させて帳尻を合わ

せたため、インドを失うことはもちろん、インドとの交通路を断たれることも死活問題だった。

一八六九年に地中海と紅海《こうかい》をつなぐ**スエズ運河**が開通すると、イギリスとインドを結ぶ交通路はアフリカ南廻り航路からスエズ運河を利用する航路になった。一八七五年には財政難のエジプト政府から、スエズ運河運営会社の全株式を買い取って事実上の所有者になり、一八八二年には運河の安全保障を口実に駐兵権も獲得し、これを機に**エジプトの植民地化**も進めていく。

イギリスの生命線を脅かしたのは、ドイツとロシアだった。ドイツは一八七一年に史上初めて統一を達成し、宰相ビスマルクの引退後は「**3B政策**」を掲げていた。3Bとはベルリン、イスタンブールの旧称であるビザンティウム、イラクのバグダードの頭文字で、この三都市を結ぶ鉄道が完成すれば、ドイツは直ちにイラクまで陸軍精鋭を送り込むことができる。

イラクとインド亜大陸との間にはイランとアフガニスタンがあり、どちらもイギリスの強い影響下にあったが、ドイツの東部の最前線がイラクにまで延長されれば、イランとアフガニスタンがどう転ぶかわかったものではなかった。最悪の事態を回避するには、3B政策そのものを挫折させるのが一番だが、すでに衰退期に差し掛かっていたイギリスには、新興の機運溢れるドイツに直接対決で勝てる保証はなく、慎重に事を運ぶ必要があった。

◎覇権国家を維持したかったイギリスが残した禍根

一方のロシアは、オスマン帝国に北から圧力を加えながら、中央アジアにも手を伸ばし、ブハラ・ハン国など中央アジア三カ国を併呑したのち、アフガニスタンに狙いを定めた。インド洋への出口確保とインドへの影響力波及を目指す作戦だった。

イギリスは、一八一五年のワーテルローの戦い以来、「**栄光ある孤立**」として、どの国家とも同盟を結ばず、ヨーロッパ大陸で起きたことには干渉しない立場を明言していた。だが、オスマン帝国領に関しては例外とし、ロシア軍が**クリミア戦争**（一八五三〜一八五六年）で破竹の快進撃を続けると、フランスを誘って武力介入した。

黒海《こっかい》の制海権とボスポラス・ダーダネルス両海峡の自由航行権を得る野望を挫かれたロシアは、何としてでもアフガニスタンを征服し、イギリスに一泡吹かせようという考えを強めた。

イギリスは、インドを「**イギリスの生命線**」としたが、インドではインド国民会議派による**独立運動が本格化**していた。辛うじて覇権国家の地位を保っていたイギリスとしては、素直にインドの独立を認めるわけにはいかなかった。

一九一四年からの**第一次世界大戦**に、イギリス本土だけでは兵が足りず、終戦後の独立を条件に植民地兵を大量に動員。何とか戦勝国となったが、英ポンドが有してきた価値の下落もあってインドへの依存度がより高まり、口実を設けては独立承認の先延ばしを続けた。

その間に、ムスリムやシク教徒などのマイノリティーを優遇する**分断政策**を強力に推し進めたが、その結果がインドとパキスタンの分離独立、パキスタンからのバングラディシュの独立となり、現在まで続く**カシミール問題**など、多くの禍根を残すことにつながった。

非干渉のモンロー主義が目論んだ アメリカ大陸への覇権

◎欧米両大陸の相互不干渉を提唱したアメリカ

アメリカのトランプ大統領は、保護貿易主義を露骨に打ち出しているが、アメリカの歴史を見れば突飛なことではない。**南北戦争**（一八六一〜一八六五年）という内戦の争点も奴隷解放の是非ではなく、保護貿易主義を唱える北部と自由貿易主義を唱える南部の対立にあった。

同じように過去における**モンロー主義**の放棄も、高らかな理念に基づくものではなく、国益を第一に考えたうえで至った結論であった。

一八一二年に始まるイギリスとの戦争において、アメリカは首都ワシントンを焼き討ちされながらも最終的には勝利した。この戦争を境にナショナリズムの機運が急速に高まり、イギリスへの未練を捨て、アメリカ市民として生きる覚悟が確固たるものと化したのである。

しかし、イギリス国王とローマ教皇、オスマン帝国スルタンを除くヨーロッパの全君主からなる**神聖同盟諸国**は、アメリカ大陸への進出を虎視《こし》眈々《たんたん》と狙っていた。特にロシアは北緯五十一度線までの北米大陸太平洋岸の領有権を主張するなど、露骨な姿勢を示した。

このような状況下で、イギリス外相からアメリカ政府に、ラテンアメリカ（中南米）に対する神聖同盟諸国の干渉に、英米共同での反対声明を出そうという提案がなされた。

アメリカ連邦議会の見解は分かれたが、最終的には国務長官ジョン・アダムズの見立てを妥当とする意見が大勢を占めた。それは海軍力に秀でるイギリスが、一国だけで可能なことに関し、あえて共同声明を求めてきた本当の理由は、アメリカによるラテンアメリカの独占を阻むことにあるという見解であった。

第五代大統領の**ジェームズ・モンロー**（在任一八一七～一八二五年）は、このような議論に基づいて、一八二三年十二月二日に連邦議会へ送った教書の中で、いわゆる「モンロー主義」の原則を表明した。その大要は以下の三点からなる。

一つ。アメリカ大陸は今後、ヨーロッパ諸国によって将来の植民の対象と考えられるべきでない。

一つ。アメリカは今後、ヨーロッパの政治に干渉しない。

一つ。ヨーロッパ諸国の圧迫や、その他の方法による西半球諸政府に対するいかなる干渉も、アメリカへの非友好的意向の表明とみなす。

というものである。

◎ラテンアメリカへの干渉を正当化したモンロー主義

この「モンロー主義」は、イギリスの企みに乗せられまいとするアメリカの明確な意思表示であった。裏を返せば、アメリカがラテンアメリカを含めたアメリカ大陸全域の覇権を目論んでいることの宣言とも読み取れる。

事実、モンローはバージニア州知事時代に、特命全権大使としてフランスへ渡り、ルイジアナの買収に成功した。大統領在任中には、スペインからフロリダを買収するなど、領土の拡大に熱心だった。

モンロー以降の大統領も、メキシコから現在のネヴァダ、カリフォルニア、ユタ、アリゾナを譲渡させ、テキサスとニューメキシコを奪取するなど領土の拡大に熱心で、ラテンアメリカに対しては経済を牛耳ることで事実上の覇権国家になろうと努めた。

アメリカは、一九三三年に開催された、南北アメリカ大陸の独立国が経済や領土権の主張などを協議する「**第7回汎《はん》アメリカ会議**」の席上で、ラテンアメリカに対する干渉権の放棄を公式に表明した。だが、パナマ運河に関する利権をなかなか手放さなかった現実からも明らかなように、アメリカは覇権を放棄する気など毛頭なかった。

そのために、第二次世界大戦後には、ラテンアメリカ各地にみなぎる反米感情をソ連に乗じられ、少し前までキューバやベネズエラ、ニカラグアなどで反米姿勢が露骨であったのも、こうした歴史的背景があってのことで、イデオロギー的な面での対立は副次的なものにすぎないのが実情だった。

世界的な不況にブロック経済で対処できた国とできなかった国

◎世界恐慌で明暗が分かれた「持てる国」と「持たざる国」

二〇〇八年九月に起きた、アメリカ第四位の投資銀行リーマン・ブラザーズの経営破綻は、**リーマン・ショック**という国際的な金融危機の引き金となったが、このときはまだ中国経済が好調であったため、世界経済は破滅にはいたらなかった。

しかし、一九二九年十月の、ニューヨーク証券取引所での株価の大暴落に始まる**大恐慌**《だいきょうこう》は、すべての列強諸国を巻き込み、第二次世界大戦の遠因となってしまった。

大恐慌という未曽有《みぞう》の危機に際し、アメリカは公共事業の拡大によって何とかしのぎ、第二次世界大戦の勃発後は、軍需産業の急成長によって乗り切ることができた。

一方、その他の列強諸国では、**「持てる国」**と**「持たざる国」**で明暗を分けた。

「持てる国」とはイギリスやフランスのように、植民地や半植民地を多く所有する国のことで、彼らは**閉鎖的な経済ブロック**を築くことで、全体としてのインフレを可能な限り抑止し、最悪の事態を免れた。

対する「持たざる国」とは、ドイツやイタリア、日本など植民地獲得競争に遅れて参入した国々のことで、彼らの植民地は少ない上に本国から離れて分散しており、有効なブロック経済を築くことなど叶わなかった。

◎「持たざる国」はブロック経済を築けなかった

しっかりと機能するブロック経済を築くには、隣接もしくは近隣の国や地域を併合するしかない。そのため「持たざる国」は、先行する他の列強から奪い取るか、主権国家を力でねじ伏せるしかなく、日本も台湾と朝鮮半島を獲得していたとはいえ、それだけでブロック経済を築くには足りなかった。

かくして日本は**満州**《まんしゅう》**に傀儡**《かいらい》**国家**を築いたのに続いて、**蔣介石**《しょうかいせき》を頂点とする中華民国統治下の万里《ばんり》の長城以南にも軍を進めた。イタリアはアフリカのリビア、エチオピアに続いて、ギリシアにも狙いを定め、**ナチス・ドイツ**はオーストリアとチェコを併合したのに続き、さらにポーランドの併合を目論んだ。

イギリスとフランスは、ポーランドと保障協定を結んでいたことから、ドイツがポーランドに侵攻すれば参戦するしかなく、まったく乗り気でないにもかかわらず、ドイツと戦う羽目になり、一九三九年には**第二次世界大戦**が勃発したのだった。

ドイツでナチ党という全体主義政党が絶対権力を握れたことにも、大恐慌が関係する。ドイツは第一次世界大戦に敗れた結果、フランスから天文学的数字の賠償金を課せられ、天井知らずのインフレに直面していた。

アメリカの仲介で賠償金の額が現実的な金額に減額され、その支払いも国内経済の復興も順調に運び、安定を取り戻すかに見えたとき襲ってきたのが大恐慌であった。

これによってドイツ経済は破綻し、左右両極端の政党が躍進した。どちらが政権を取るか微妙ななか、資産の国有化を恐れる資本家たちが極右支持に傾いたことから、ナチ党も加わった極右の連立政権が発足。ナチ党が極右内の権力闘争に勝利して、選挙制度の廃止と党首の**アドルフ・ヒトラー**を大統領兼大総統とする、いわゆる**ドイツ第三帝国**が築かれたのだった。

フランスにも、かつてヨーロッパ最大の陸軍国であったという矜持《きょうじ》があり、それがドイツに対する強硬姿勢につながった面は否めない。

別な言い方をすれば、ドイツの前身であるプロイセンやロシアで、フランス語が宮廷用語として採用され、ルイ14世（在位一六四三～一七一五年）時代にはヨーロッパ政局の中心、ナポレオン1世（皇帝在位一八〇四～一八一五年）時代には、ヨーロッパ大陸を制覇した過去への過剰な自負心がなければ、ドイツに対する復讐心も抑制され、ナチ党による独裁という最悪の事態も免れたのではないだろうか。

ヒトラーの考え方は覇権どころか、劣等人種と決めつけた相手を絶滅させるまでやめないという常軌を逸したもので、世界史上で類を見ないものだった。

【二度の世界大戦で覇権国家へと飛躍したアメリカ】

◎英ポンドから米ドルへ移った世界の基軸通貨

現在では、中国人民元《じんみんげん》の力が強まったとはいえ、いまだ世界通貨の筆頭が米ドルであることに変わりはない。だが、米ドルがその地位を確立させたのはそれほど古いことではなく、二十世紀の二度の世界大戦を経てからで、これにはモンロー主義からの決別が関係した。

モンロー主義は突飛な発想ではなく、すでに初代大統領のジョージ・ワシントン（在任一七八九～一七九七年）が、辞任時の告別演説のなかで、ヨーロッパ諸国の対立抗争に巻き込まれることを懸念して、国際的に中立の立場を取ることの必要性を主張。第三代大統領のトマス・ジェファーソン（在任一八〇一～一八〇九年）も就任演説のなかで、ヨーロッパ諸国と錯綜した同盟を結ぶべきではないと表明していた。

こうした考えの背景には、いまだ君主制が大勢を占めるヨーロッパを旧世界、アメリカをはじめ共和制を取るアメリカ大陸を新世界とする価値観が働いていた。

アメリカが東海岸十三州に始まったことを思えば、ワシントンとジェファーソンの主張は妥当かつ現実的なものだったが、アメリカ本土の東西を結ぶ鉄道が完全につながり、西部開拓という名の先住民からの土地収奪が完了するに及んで事態は変わった。

一八九三年には、歴史学者のフレデリック・ジャクソン・ターナーが、アメリカの民主主義と国民性を育んできたフロンティアは消滅したと宣言。アメリカ史上これをもって「**フロンティアの消滅**」としているが、このとき新たなスローガンとして掲げられた中に、「**海のフロンティア**」があった。これからは大西洋と太平洋の両方面への経済進出が必要との主張である。

ラテンアメリカ諸国の購買力が期待したほど上がらず、内需にも限界がある状況では、投資先や市場を別天地に求めるほかなく、大西洋の向こう側ではロンドンの株式市場、太平洋の向こう側では人口が多く領土も広大な中国が最有力候補だった。

ロンドンとの関係は建国後も断たれておらず、中国の上海にはイギリスとの共同租界（公共租界）を設けていたから、ゼロからのスタートではなかった。

二十世紀初頭の英米関係は、二度の戦争などなかったかのように上手くいっていた。ニューヨークからイギリスへの投資も増え続ける状況下で起きたのが**第一次世界大戦**だった。

当然のごとくアメリカは中立を宣言したが、過去に例のない総力戦は思いのほか長引き、戦車や毒ガスといった新兵器の登場は前例のない死傷者数を出してもいた。大方のアメリカ人はこれを他人事と見ていたが、金融の中心である**ウォール街**だけは違った。

英仏に莫大な投資をしている彼らからすれば、英仏を中心とする連合国が敗れる事態はどうしても避けねばならず、第二十八代大統領のウッドロウ・ウィルソン（在任一九一三～一九二一年）の考えを改めさせるために手段を選ばなかった。

結論を先に言えば、ウィルソンはウォール街からの度重なる圧力に屈した。一九一五年五月七日にアイルランド沖を航行中のイギリスの豪華客船ルシタニア号がドイツの潜水艦によって撃沈され、アメリカ市民百二十八人を含む千百九十八人が溺死した。

さらに、一九一七年二月にドイツ外相が、メキシコに対して軍事同盟を提案した電報が暴露される事件があり、ウィルソンはこれを口実に、同年四月二日に連邦議会で宣戦教書を読み上げ、上下両院でアメリカが連合国側に立って参戦することが圧倒的多数で可決された。

だが、これはモンロー主義の破綻とはならず、大戦終結後には多くのアメリカ人が旧態依然たるヨーロッパに失望し、少なくとも一般市民レベルでは海外への関心は薄れた。だがアメリカ政府と産業界の関心は、大西洋の向こう側の英仏、太平洋の向こう側の中国に向いていた。

第一次世界大戦では戦勝国も疲弊はなはだしく、著しく国力を低下させたのに対し、アメリカは漁夫の利を得る形で好景気に沸いた。戦争がもたらす甘い汁を味わったことは、アメリカの歴史を大きく転換させるきっかけとなった。

◎真珠湾攻撃を受け、モンロー主義を捨てたアメリカ

もう一度世界大戦が起きれば、イギリスの覇権は名実ともに完全崩壊して、英ポンドも国際通貨としての価値を失うだろう。それがわかっていたからこそイギリスは、ナチス・ドイツに

対して宥和《ゆうわ》政策で臨んでいたのだが、結果としてその姿勢が仇となり**第二次世界大戦**が勃発し、予想通りイギリスの国際的地位は著しく低下した。

新たな覇権国家となったのは反ファシズムという点で連携したアメリカとソ連で、英ポンドに代わり最強の国際通貨として躍り出たのは米ドルだった。

世論の大勢とは逆に、アメリカ政府と産業界が**対日開戦**に舵を切った。その理由はフランクリン・ルーズベルト大統領（在任一九三三〜一九四五年）のもとで推進された、**ニューディール政策**（新規巻き返し政策）では一時しのぎにすぎず、大恐慌の後遺症から真に脱するには市場の拡大が不可欠で、それには中国はもとより、環太平洋における経済覇権を確固たるものにする必要があると考えられたからだった。

アメリカは最初から日本と戦争をするつもりでいたわけではなく、満州は譲るにしても、日本軍が万里の長城以南から完全撤退するならば妥協する用意があった。

日中戦争が始まってからも、蔣介石の国民政府はイギリスの本格的な支援のもとに幣制改革（紙幣の統一）によって財政基盤が整っていたことから、容易に敗北するはずはなく、かえって日本側が経済破綻に瀕して全面撤退をするほかなく、アメリカは介入するまでもないとの楽観的空気が広がっていた。

ところが、日本軍が不足分を軍票《ぐんぴょう》の発行で補い、まだまだ戦争継続能力が十分あるとわかると、アメリカ政府は態度を硬化させた。

一九四〇年に日独伊三国同盟が成立すると、日本に満州を含む中国からの全面撤退を求め、日本資産の凍結と石油の全面禁輸など経済制裁を強めていった。

日本側も石油の輸入をアメリカに頼るままでは、勝算がない戦いとわかっていた。そのため、日米交渉が粘り強く続けられた。だが、一九四一年十一月二十六日、アメリカの国務長官コーデル・ハルから、中国とインドシナからの完全撤退、中国では重慶《じゅうけい》の国民政府以外のいかなる政府、政権も支持しないこと、日独伊三国同盟の事実上の廃棄を要求する、いわゆるハル・ノートを突き付けられるに及んで、日本側はついに開戦を決意したのだった。

アメリカ政府は通信の傍受と暗号の解読から、日本軍の真珠湾奇襲に関する情報を入手していたが、あえて一部の責任者にしか情報を伝えず、日本軍による真珠湾への奇襲攻撃を傍観し、世論を戦争賛成へと誘導した。果たして、真珠湾奇襲のニュースが流れるや、アメリカ世論は一気に開戦賛成へと傾き、軍需産業のフル稼働が始まったことで不況の影は完全に消え去った。

一九四五年には第二次世界大戦は終結し、アメリカは二度の世界大戦で、本土が戦場にならなかったことで戦後の困窮に苦しむことはなかった。戦後の中国で内戦が再発し、蔣介石が敗れて台湾に引き込んだのは誤算だったが、復興が軌道に乗るまでの西ヨーロッパとギリシア、トルコに加え、東アジアでは日本、韓国、台湾を米ドル経済圏に取り込み、日本軍の攻撃にさらされたフィリピンやハワイも回復したことで、当面の埋め合わせは問題なく、米ドルは国際通貨として不動の地位を確立したのだった。

東西冷戦の終結と深刻化した格差社会

◎先進国で拡大した貧富の差

著名な投資家ジョージ・ソロスをはじめ、アメリカ財界を代表する十九人が連名（一人だけ匿名）で次の大統領候補者に対し、アメリカ総人口の〇・一パーセントを占める超富裕層の資産に、富裕税を課するよう求めたのは二〇一九年六月のことだった。このまま格差の拡大を放置しておけば、取り返しのつかない状況になりかねないとの危機感を覚えたのかもしれない。

一九八九年十二月に、地中海のマルタ島で米ソ首脳会談が行なわれ、四十余年にわたって続いた**東西冷戦の事実上の終結**が宣言された。核戦争はもちろん、戦争そのものへの不安も消え去り、真の世界平和が訪れるに違いないと、世界中が安堵の息をついていた。

だが、唯一の超大国となったアメリカが、国連と連携しながら国際秩序の維持に務め、グローバリゼーションの流れのもと世界経済をリードしていくと思われたが、そういうシナリオはすぐさま崩れ去り、リーダーとなる国が存在しない「**Gゼロ**」の時代に突入したのだ。

結果的に、冷戦の終結は世界平和には結びつかなかった。超大国による縛りが消えたことで、世界各地で民族や宗教の違いにより**地域紛争が頻発**し、アフリカのルワンダのように数十万人規模の大虐殺が起こるところまで現われた。

一方、共産主義の脅威が消えたことで、資本家たちの暴走に歯止めが利かなくなり、先進国でも貧富の差が拡大。中流階級が崩壊して格差社会が到来する事態となった。

二〇〇一年には、日本語訳されていた小文を英訳した『世界がもし100人の村だったら』が世界的なベストセラーとなったが、その反響も一過性に終わった。二〇一一年にはアメリカで「ウォール街を占拠せよ」「われわれは九九パーセントだ」などをスローガンとした大規模な大衆運動も起こるが、これまた社会を大きく変えるには至らなかった。

覇権という点でいえば、グーグル、アマゾン、フェイスブック、アップルのGAFAと称されるアメリカのテクノロジー産業が勝ち組と言えそうだ。

ところが、二〇一九年七月、フランス議会が国内での年間売上高が二五〇〇万ユーロ以上かつ世界売上高が七億五〇〇〇万ユーロ以上の企業を対象に、二〇一九年一月に遡ってフランス国内での売上高に対し三パーセントの課税をする「デジタル・サービスへの課税創設」法案を可決したことで、今後の成り行きに注目が集まっている。

◎復活してきた宗教界

元来、覇権を握る者には、最底辺の人びとを支える義務もともなうべきなのだが、冷戦の終結後はその暗黙のルールまでもが無視され、世界は混沌の内にある。

前近代までは、行政の至らない部分を宗教界が補うのが普通で、近代国家の成立にともないその役割を終えたかに思えたが、冷戦終結後の格差社会の深刻化にともない、イスラーム世界やロシアでは宗教界の存在感が復活傾向にある。

ロシアでは、ソ連時代に雌伏を余儀なくされたロシア正教会が息を吹き返し、プーチン政権のもとでは困窮者に対して給食サービスを施すなど、行政の至らぬ部分を補う役割を果たしている。

イスラーム世界では、社会正義を謳った原初の姿に戻るべきとの観点から、信仰への回帰が進み、過激派に流れる者もいれば、貧者への医療・教育サービスや生活サポートに力を入れる者もあるなど、対応が大きく分かれている。

ずば抜けた軍事力と科学力を持ちながら、格差の是正に正面から向き合おうとしない先進国よりも、今後は覇権とは無縁ながら、格差の是正や貧困対策に本気で取り組んでいる国家こそ模範とすべきなのかもしれない。

歴史上の日本では

◎戦後復興を早めた朝鮮特需

日本経済が、世界経済に本格的に組み込まれたのは、安政《あんせい》五年（一八五八）に**日米修好通商条約**《にちべいしゅうこうつうしょうじょうやく》が締結されたときからで、輸出産業が育つまでどうしのぐかが大きな問題であった。

紡績業と炭鉱開発が軌道に乗り、日本が新興工業国への仲間入りを果たしたのは明治時代後半のことで、**日清戦争**（一八九四～一八九五年）に勝利したが、経済成長と軍備増強を同時進行させるのはさすがに無理があり、一九〇二年の**日英同盟締結**がなければ**日露戦争**（一九〇四～一九〇五年）に勝利するどころか、惨敗を喫するところだった。

日露戦争は綱渡りでの勝利であったが、これを国民に伝えなかったことで軍部自体が道を踏み外していく。世界恐慌《きょうこう》を乗り切るため満州に傀儡《かいらい》国家を築くが、関東州と南満州鉄道の権益を保護するため設置した**関東軍**《かんとうぐん》の独走に刺激され、天津《てんしん》と上海《シャンハイ》の駐屯部隊も暴走を始めた。

その結果、中国との全面戦争に突入。それがアメリカとの関係悪化を引き起こし、**太平洋戦争**の敗北に行き着いた。沖縄全島は焦土と化し、広島と長崎に原爆を落とされ、東京をはじめ全国の主要都市は空襲により焼け野原状態という目も当てられない惨状だった。

日本の復興はアメリカの存在なくしては語れない。アメリカ軍に安全保障を託することで、それまで費やしてきた膨大な軍事予算と貴重な人材を、他の分野にまわせるようになったのだ。

それに加え、**朝鮮戦争**（一九五〇～一九五三年）と**ベトナム戦争**（一九六四～一九七三年）

による特需が大きな追い風となった。戦争には食料と医薬品、生活雑貨などが欠かせず、戦地ではなおさら消耗が激しい。アメリカ本土で作ったものを運搬していたのでは経費も日数もかかりすぎ、大半は戦場に近い日本に発注された。アメリカが当事者となった大戦後の戦争のなかでも、特に朝鮮戦争は日本の製造業復活への最初の大きなきっかけとなった。

◎イノベーションを打ち出せなかった20年

もう一つの大きなきっかけとしては、一九六五年に締結された**日韓基本条約**をはじめ、韓国や中華民国（台湾）、東南アジア諸国との関係正常化が図られ、それら諸国が日本製品の有力な市場となったことが挙げられる。

内需が伸び続けているとはいえ、それだけは毎年二桁近い経済成長を維持するのは不可能で、海外市場の開拓は不可欠であった。真似から始めるのを恥とせず、欧米製に負けない性能の家電や工場機器をつくり、欧米のものより低価格で販売する。人件費と輸送費用の安さ、輸送にかかる日数の短さを売りにする戦略はものの見事にあたり、日本の製造業はそこで蓄えた資金と培った技術を駆使して、次なる創造・開発の段階へとステップアップを図れたのだった。

高度経済成長が続き、昭和四十八年（一九七三）と同五十三年の**オイル・ショック**を少ない混乱で乗り切ったことで、日本は自他ともに認める先進国への仲間入りを果たすことができた。技術大国と呼ばれ、**一億総中流意識**や終身雇用、専業主婦などが日本の伝統かのような錯覚まで生まれたのもこの頃で、それは欧米で「スキヤキソング」の名で親しまれた坂本九《さかもときゅう》の歌う『上を向いて歩こう』（昭和三十六年発売）が実感をもって受け止められた時期でもあった。

昭和六十年頃には、**日本企業の欧米進出**も活発化し、ウォール街を買い占めるのではないかと半ば本気で言われるほどだった。日米貿易摩擦により、両国の関係は終戦以来最悪と化していたが、庶民レベルでは中高年を中心とした海外旅行がブームとなり、世界中どこの観光地に行っても日本人ばかりという現象が生まれ、あまりの騒々しさとマナー違反に堪《たま》りかね、ヨーロッパの名だたる教会では日本人の立ち入り禁止が本気で議論されたことさえあった。

大学への進学率はあがり、多くの大企業が空前の金余り状態。「**企業戦士**」なる言葉まで生まれた反面、きつい・汚い・危険の「**3K仕事**」は避けられる傾向が強まった。転職雑誌が隆盛を極め、**フリーター**や**派遣社員**という生き方ももてはやされるようになった。

ホームレスはいても餓死者のいない日本社会。社会問題といえば嫁姑の不和や暴走族の跋扈《ばっこ》くらいしかなかったが、当時の日本人の大半はそれが**バブル経済**であることを自覚せず、日本人の実力であると思い違いをしていた。それだけにバブルが弾けたときのショックも大きく、政治家も大企業の幹部たちもなす術を知らず、原価を下げるために工場の海外移転を進めるかたわら、人員削減を図るのが関の山で、俗に言う「**失われた20年**」が過ぎていった。

AI（人工知能）の急速な発達により、近い将来に多くの職業が人からAIに取って代わられると予見されている。その場合、職場を追われた人間は何によって生計を立てればよいのかという点については、これといった妙案が出されていない。

四十年近く前から少子高齢化への警鐘は鳴らされて、IMF（国際通貨基金）などからも移民の受け入れ以外に方策はないとされながら、他の国はいざ知らず、日本だけは特別という考えが根強く、改革を求める声は門前払いをされ続けてきた。

具体的な取り組みがはじまったのは、人口減少が顕著になったここ五、六年のことだ。それも緒に就いたばかりで、急を要する看護・介護職に応じる外国人が思いのほか少なく、技能実習生が劣悪な環境のもと、低賃金で長時間労働を強いられるなど、問題ばかりが生じている。

国際社会における日本の存在感の低下や長引く景気の低迷は、高度経済成長期の恩恵を被り、十分な年金を受け取っている世代が、イノベーションを妨げてきたことに起因する。

高度経済成長の達成と先進国への仲間入りを、すべて自分たちの努力の賜物とする思い上がりが、現在の日本の苦境を招いたと断言してもよいだろう。経済成長が個々の粉骨砕身の努力だけでなしえるはずはなく、人口の増加や人材の確保に加え、市場の拡大や競争相手の少なさ、価格の安さといった外的要因も不可欠という経済の基本を無視してきた報いでもある。

アベノミクスに一条の光明を見出し、潤ったのは一部富裕層に限られた。令和二年（二〇二〇）の東京オリンピックが終わり、インバウンドも減少傾向に転じたとき、いったいどんな世が待ち受けているのか、あらゆる分野で国際競争力の低下が明白なだけに、口にこそ出さないが不安でいたたまれない日本人が少なくないに違いない。

第2章

異端を排除する「イデオロギー」と覇権

◎現代も全く無視できない宗教勢力

二十一世紀になって、今さら宗教が大きな対立軸になるとは、百年前に誰が予測できただろうか。近未来は脱宗教化がいっそう進むものと思われたのに、二〇〇一年の「**9・11**」（アメリカ同時多発テロ事件）では**イスラーム過激派**、二〇一六年のアメリカ大統領選挙では**福音派**《ふくいんは》と称される敬虔《けいけん》なキリスト教徒たちの存在が改めて浮き彫りになった。

福音派は特定の宗派でもその下の単位でもなく、敬虔なキリスト教徒全般を指し、アメリカ国民の四人に一人がこれにあたるという。そのなかでも極端な考え方に走っているのが**原理主義**と呼ばれる人たちで、彼らは恐竜と人類は同じ時代に生きていたとするほか、学校の教科書からダーウィンの進化論を消し去るか、それと同等の時間を割いて神による天地創造を教えるよう主張してやまない。

昨今の国際情勢を見る限り、「祭政一致は遠い過去の遺物」という観点は修正しなければならない。極端な存在の**IS**（イスラミック・ステイト）は別にしても、祭政一致はいまだ命脈を保ち、いつ息を吹き返してもおかしくない地域も多数存在するのだから。

宗教ではないが、**ナチズム**のようなカルト的イデオロギーも、異質な存在を排除する点で宗教カルトに匹敵する力を有している。ホロコーストを例に挙げるまでもなく、「劣等」と決めつけた対象の根絶を図る。その対象をどんどん広げていったところがナチズムの異常さで、中世カトリック世界の異端審問を上回る人類史上最大の狂気であった。

さらにナチズムの恐ろしいところは、直接殺戮にあたった人間の多くがナチズムの信奉者でもなければ、反ユダヤ思想の持主でもないことで、上官から命じられた任務を忠実にこなしただけと証言し、数十年の歳月を経てもまったく良心の呵責《かしゃく》を感じていない点にある。

心理学の世界で「アイヒマン症候群」と命名されたこの心理状態は、あらゆる戦場だけでなく利益を優先するビジネス社会でも常態化しているだけに、明日は我が身との恐ろしさを禁じえない。

◎旧共産圏で露呈した民族対立

東西冷戦の終焉で、イデオロギー対立が終わったかと思えば、新たに宗教対立が表面化したわけだが、旧共産圏に限れば、それよりも民族主義の勃興と経済が目先の問題と化している。

共産主義体制のもとでは誰もが貧しくとも、最低限の生活は保障され、老後の不安もなかった。一党独裁のもとでは民族主義がはびこる余地もなく、体制が盤石なうちは民族間のいがみ合いも極力抑えられていた。

ところが、一九八〇年代に入ると共産圏全体が揺らぎ始め、民族対立が誰の目にも明らかになってきた。**ベルリンの壁崩壊**に続く一党独裁の終焉、複数政党制の導入にともない、民族主義政党が台頭。チェコスロバキアが二分されたのはまだいいほうで、ユーゴスラビアに至っては解体を重ねたあげく七つの国家になってしまった。

ロシア連邦共産党は野党の座に甘んじながらも、年金生活者を中心にいまだ一定の支持を集めており、プーチン人気に陰りが見え始めたことで、党勢復活の可能性も現実味を帯びてきた。だが、他の東欧諸国では見る影もなく、経済への不満を吸収できる理論体系を再構築しない限り、復活は不可能に近い。

いまだ名実ともに社会主義体制を維持しているのは、**北朝鮮**（朝鮮民主主義人民共和国）と**キューバ**だけになってしまった。両国ともにアメリカによる経済制裁で苦しい状況にあるが、国交を結んでいる相手は意外に多く、必ずしも国際的に孤立しているわけではない。

北朝鮮は、巨大石像やプロパガンダ絵画の製作によりかなりの外貨を得ており、キューバは医師の無料派遣により、発展途上国からの支持を取り付けるなど、両国ともなかなかしたたかである。アメリカの傘下にいる日本からは見えにくいが、国際情勢は日本人が思うほど単純ではなく、複雑に入り組んでいるのだ。

西欧諸国の社会主義政党は、冷戦終結より早く社会民主主義への転換を図っていたことから、冷戦終結の影響はさほどではなく、依然として労働者の支持をそれなりに集めているが、**極右政党**にかなりの票を奪われている現実は否めない。移民が仕事を奪っているという神話を信じている人びとが少なくないからである。

歴史を顧みれば、多くのヨーロッパ諸国が列強と呼ばれ先進国となりえたのは、過剰人口を外へ送り出すことで社会不安の緩和ができたからで、移民の受け入れ側になった今、**移民排斥**が声高に叫ばれる現状は身勝手に見えなくもない。

◎「アメリカ一国主義」と「偉大なるアメリカ」の矛盾

身勝手といえば、その最たる例はトランプ政権下のアメリカであろう。

そもそもアメリカが超大国になれたのは、二度の世界大戦と絶えざる移民の流入の賜物で、覇権を手にできた要因は、西欧諸国の共倒れに拠る部分が大きい。また3K仕事に必要な労働力を確保できたのは、それに耐えてくれる労働者の存在があればこそで、大陸横断鉄道の建設などは中国人とアイルランド人の存在なくしてはなしえなかった。

アメリカが世界一の科学力を誇れるようになったのも、ドイツからの頭脳流出の受け皿となったからで、イノベーションの数々はユダヤ人やユダヤ系なくしては生まれえず、アメリカが**軍事大国かつ経済大国**になれたのは、**人材の受け皿**でありえたからと断言してよいものだ。

だが、偉大な存在と見なされるためには、軍事力と経済力だけでは足りず、尊敬に値するか、頼りになるか、公正な立場を貫けるかといった点が重要な基準となる。東洋的な価値観からすれば、寛大で横綱相撲が取れることも必須条件に加わるが、果たしてアメリカはそれらをクリアできるのか、またクリアする気があるのだろうか。

「アメリカ一国主義」も、甘い汁を吸いたいだけの我欲に満ちた言葉で、**「偉大なるアメリカ」**

とは両立し得ない性格のものだ。ポピュリストにしか口にできない組み合わせとしか言うほかない。このように矛盾するものを、トランプはどうして声高に訴えていられるのだろうか。

その意味ではブッシュ政権期に始まる**グアンタナモ基地へのテロリスト収監**は負の遺産と言わねばならない。賞金で釣った密告だけを証拠に、他国で拘束した容疑者をキューバにある同基地に送還。犯罪者でも捕虜でもない特別な存在として収監し続け、弁護人の接見も許さない。

こうした基本的人権を完全に無視した行為を続けていたのでは、中国やロシアが同様の行為に及んだ場合、アメリカ政府がいかに非難しようとも説得力に欠ける。

現に中国の**香港人権法**と**ウイグル人権法**に対する国際的な反応も弱い。中国でウイグル人やチベット人、法輪功《ほうりんこう》（伝統的な健康法の気功集団だが、一九九九年に中国政府から邪教とされ弾圧を受ける）の信者たちが、同様の施設に入れられている状況を考えれば、グアンタナモ基地の異常さは明らかである。

われわれが今後どのような道に進むべきか考える手助けとして、やはり人類の足跡を確認しておく必要がある。イデオロギーと覇権との間にどのような相関関係があったのか。大まかなところを見ていきたい。

【古代ギリシアでの民主主義の誕生と没落】

◎密接不可分ではない覇権と民主主義の関係

「民主主義は政治の最終にして最善の形態」とは、誰が言い出したわけでもなく、戦後生まれの日本人は漠然とそう信じ、世界の覇権を握るのも民主主義国家でなくてはならず、そうなるのが必然だとしてきた。

だが、昨今の国際情勢は、こうした既成概念を根底から揺るがす性格を帯びており、われわれは改めて民主主義について問い直さなければならない時期に差し掛かっている。

現代の民主主義のどこに問題があるのかを確認するには、民主主義の元祖である**古代ギリシア**にまで遡り、当時と現代の民主主義ではどこにどんな違いがあるのかを明確化させることも必要であろう。

古代ギリシアには統一国家が生まれることはなく、大小いくつもの**ポリス**（都市国家）から成り立っており、政体も一様でなかった。そのなかにあって民主政体の模範とされたのが、当時は**アテナイ**（アテネ）と呼ばれたポリスである。

古代アテネと現代の民主主義との一番の違いは、**奴隷制**の有無にある。労働はすべて奴隷にさせるから、自由身分で市民権を持つ男性は、議会への出席、裁判の傍聴、軍事訓練、娯楽などに専念できた。また軍の主力が長槍を手にする歩兵であった関係上、市民権を有する者にとって従軍は義務かつ誇るべき権利で、参政権は命と引き換えという性格も帯びていた。

もう一つ特徴的なのは、僭主《せんしゅ》の排除を目的とした、**オストラシズム**（陶片追放）という制度である。僭主とは非合法手段で独裁政権を樹立した者のことで、陶片追放はその恐れのある人物の名を陶器の破片に刻み、一定の割合に達した者は十年間の追放処分にするというもので、これは実際に僭主政治を経験したことを教訓に生まれた制度だった。

ポリシーはなく、権力を握ること自体が目的という点で、僭主と**現在のポピュリスト**との間には共通点がある。それなら陶片追放の現代版があってもよさそうだが、二〇〇〇年に韓国で実施された落選運動を除いては、軍事政権や独裁政権によるライバル外しに利用されるばかりで、マイナス票を投じる制度は世界中どこを見渡してもいまだ実施された例が見られない。

◎ファシストよりも脅威なポピュリスト

近代で選挙権拡大の先陣を切ったのはイギリスで、それは選挙権の基準を軍事的貢献から納税額に変えねばならない時代の要求に起因した。西欧諸国はのきなみそれに倣い、現在では普通選挙は当たり前で、国によっては地方選挙に限り、外国人の参政権を認めている。

自分たちの先祖が、苦労して獲得した選挙権を無にしてはならないとの思いは強くあるべきだが、現在の日本の民主主義が抱える問題は、先進国のなかで飛びぬけて投票率が低いことだ。

具体的には政治家全体のレベルの低下に加え、三権分立の不徹底、二院制の機能不全、党議拘束、特定の企業との癒着などが挙げられ、本来なら選挙によって解決しうる問題のはずが、国民の自覚が低く、投票率の低い現状ではとても期待できない。

資金力と各方面とのコネクションを持つ政党なり政治家が、覇権を握り続ける現象は当面変わりそうにない。この状況では民主主義の根幹が崩れかねない。オーストラリアのように罰金制度を導入するなり、投票に何らかの特典が付けば、状況も変わるかもしれないが、投票率の低さを喜ぶ者もいて、具体案が本格的議論にならないのが日本の悲しむべき実情である。

世界的に見ても、現在の民主主義は手本となりうる存在に欠け、重大な危機に直面している。イタリア映画『帰ってきたムッソリーニ』の監督ルカ・ミニエーロは「**怖いのはファシストよりもポピュリスト**」と語っている。人気取りに巧みで、当選して権力を手中にしたら何をするかわからない人物ほど危険な存在はない。平然と公約を破る政治家はそのミニ版と言える。

振り返って古代ギリシア、すなわちアテネの民主制がなぜ潰《つい》えたかと言えば、それは内部崩壊したわけではなく、**ペロポネソス戦争**（前四三一～前四〇四年）での敗北で覇権を失ったことが大きかった。覇権は勝者であるスパルタ、次いでテーベ、さらにマケドニアへと引き継がれたが、どの勢力も民主制を好まなかったことから、ギリシアで民主政体が復活するまでには二〇〇〇年以上の歳月を要することとなった。

【共和制から帝政へと移った古代ローマ】

◎地中海の覇者となるも内乱が始まった共和制ローマ

現在でも政治的混乱を収拾できないとか、決められない政治を嫌うあまり、独裁政権の容認に走る国が存在するが、古代ローマはその先駆けとも言える歴史を経ていた。

地中海全域の覇権を最初に握ったのは古代ローマ人だった。先行するギリシア人やフェニキア人、その分枝であるカルタゴ人を破っての快挙ではあるが、その代償は大きく、総合的に見て得であったか損であったか判断しかねるところである。

古代ローマは都市国家に始まる。伝説によれば、建国というより建市は前七五三年のことで、前五〇九年には王制から共和制へと移行した。

元来、共和という言葉は公益の奉仕を意味したことから、民主制はもちろん、これに貴族制と君主制を加えた政体もが共和制と呼ばれた。指導者が民のために存在することが自明の理であったからである。

ところが、君主の多くは自分の栄光しか考えず、有力貴族が政治権力を握る寡頭政《かとうせい》も同様であったことから、しだいにそれらを除外した国家形態のみを共和制と呼ぶようになった。

ローマ人に先立ち、海上交易の民として暮らしていたフェニキア人とは、現在のレバノン沿岸部を本拠地とした人びとで、彼らが現在のチュニジア沿岸部に築いた都市がカルタゴであった。本国が衰退してからもカルタゴの繁栄は続き、前三世紀には西地中海の覇権を握るまでになった。

そのカルタゴに挑んだのが、イタリア半島の征服を終えたばかりのローマで、勝利したローマの側も無傷とはいかなかった。

第二次ポエニ戦争ではイタリア半島全土が戦場となったことから農地が荒廃し、独立自営農民の多くが土地を捨ててローマ市内へ流れ込み、無産市民と化す惨状で、覇権には大きな代償がともなっていた。

独立自営農民は重装歩兵の担い手で、彼らが没落したのでは、ローマを支えてきた軍団の維持ができず、外敵に対して無力になるばかりか、イタリア半島が再び諸都市分立の状態に戻りかねなかった。

そこでグラックス兄弟により、土地の再分配を強行して、ローマ軍を従来の姿に戻そうとする試みがなされたのだが、既得権益者たちの抵抗が強く、兄弟は彼らに扇動された暴徒の手で殺害された。以来ローマは「**内乱の一世紀**」と呼ばれる時代へと突入する。

その間、ローマ軍は従来の国民皆兵から募兵への転換を図らざるをえず、無産市民が奴隷への転落を回避するには、誰かの庇護下に入るしか道がなかった。

かくして大土地所有者にして元老院（議会）議員でもある何人かの有力者が軍閥化するなか、前六〇年には有力三者による第一次三頭政治が開始される。

そのなかで勝ち残ったカエサルによりエジプトが併合され、ローマの覇権が地中海全域に及ぶに至ってようやく平和が回復された。ところが、カエサルが暗殺されたことによって再び振り出しに戻ってしまった。

◎「カルタゴの悲劇」を繰り返した日本

前四三年に成立した第二次三頭政治も長くは続かず、カエサルの甥でこの内乱に勝利したオクタウィアヌスが、前二七年に元老院からアウグストゥス（尊厳者）の尊号を贈られたことで、事実上の帝政が開始される。

地中海帝国と化したローマの繁栄はライバルを破るに留まらず、息の根を完全に絶やしたことでもたらされた。敗者に残されたのは奴隷として仕えるしかなかった。

一九八〇年代の日本では、貿易一筋で繁栄し滅亡したカルタゴの運命と、日本の行く末を重ねる見方が流行した。当時の日本は高度経済成長の勢いがまだ衰えず、バブルの様相も年々色濃くなりつつあった。アジアで唯一先進国への仲間入りを果たして、欧米から「エコノミック・アニマル」という称賛とも揶揄《やゆ》とも解釈できる呼び名を与えられていた。

太平洋戦争では敗北したが、いまや押しも押されもしない経済大国へと成長を遂げ、経済力でアメリカを脅かすまでになったとの自信が日本国内に蔓延した反面、アメリカからは最大の貿易赤字相手というので、ある意味ではソ連以上に強い敵視の的ともなっていた。

太平洋戦争での、日本軍の無謀な戦いの印象があまりに強いこともあって、自由貿易に任せておくのは危険との空気が広がったのである。

日本国内ではそれを敏感に受け止め、知識人や財界トップのあいだでカルタゴの二の舞になるのではないかとの不安が広がった。日本は、アメリカを経済的に牛耳ろうとしているのではないかなどと、あらぬ疑いをかけられ、敵視のあげく経済制裁かそれ以上の何かをされないとも限らないというのだ。

そうした危機感が、アメリカの覇権の下にあって、アメリカ軍の核の傘によって守られているからこそ、現在の平和と国際的地位が保たれているとの認識とも重なり、カルタゴを反面教師とする見方が流行したのだった。

すでに**六〇年安保**、**七〇年安保**当時のような反米気運は消え失せ、アメリカの覇権のもとで共存共栄を図るにはどうするのが最善かというように、最初から選択の余地が狭まれていた。

日米間の貿易不均衡は現在も大きな問題とされ、二〇一九年九月には一応の妥協が成立したが、大統領選挙を控えるトランプが、自身の政治力をアピールするために、さらなる譲歩を迫ってくる可能性は否定できない。

【対等な存在を認めない中華王朝の朝貢システム】

◎三倍返しで自尊心を満たす朝貢貿易

現代の中国が掲げる「一帯一路《いったいいちろ》」政策は、中国の歴史を通じて極めて異質と言える。覇権国家を目指す点は同じでも、歴代中華王朝のそれはひたすら名目の追求に走り、実利を度外視したものだったからだ。

中華王朝は、自分たちを世界の中心とする**中華思想**（華夷《かい》思想）のもと、自分たちと対等な存在などありえず、またあってはならないとも考えていた。

ここまでは世界でも他に類を見るのだが、中華ではすべてが自給自足可能なので、輸入しなければならないものは存在しない。ゆえに対外貿易は恩寵としてのものに限られ、それ以外の貿易は一切許さないという原則を貫いたことが独特である。

恩寵としての貿易とは「**朝貢貿易**《ちょうこう》」である。儒学の経典の一つである『中庸《ちゅうよう》』の中の一節「来たるを薄く往くを厚くする」に基づいて、未開な国々が皇帝の徳を慕って貢物を献上しに来るなら、仕方なくそれを受け取り、最低でも三倍の価値ある品物を下賜《かし》するというもので、経済的には貿易赤字を前提とするシステムだった。

中華王朝側のメリットとしては、自尊心が満たされることに加え、国境警備に要する経費の削減が挙げられた。特に北方や西方の異民族に勢いがあるときは、防衛のため莫大な予算を投じるよりも、朝貢システムを通じて物や金銭で国境侵犯を行なわないと確約させたほうが、総合的に見れば安く済ませることができた。

だが、目の前の散財を惜しむあまり、朝貢貿易の制限や国境付近での自由貿易の禁止措置をとれば、異民族による大挙侵攻を招くのが常だった。

中華に比べて厳しい自然環境に暮らす彼らは、穀物や織物などの自給自足ができないため、中華との貿易を欠かすわけにはいかず、対する中華の側では駿馬《しゅんめ》を除いては必ずしも必要なものはなく、北方民族からの貢物にさして魅力を感じなかった。

ゆえに朝貢の頻度を減らす措置がたびたびとられたが、それは北方民族にとっては受け入れがたく、生活必需品を確保するためやむなく国境侵犯と略奪、中華王朝に圧力をかけるための越境攻撃などを繰り返したのだった。

◎中国に意識改革をもたらした「屈辱の一五〇年」

中華王朝の東方世界に対する姿勢も同じで、古くは日本もそのシステムに組み込まれていた。

日本に関する記録上最古の例は、紀元五七年に倭《わ》の奴国《な》が後漢《ごかん》に使節を遣わし、光武帝《こうぶてい》から印綬《いんじゅ》を授けられたとするもので、印は印章、綬はそれにつく紐のことで、このようなシステムは、東アジアにおける国際的地位を保証する唯一の規範として、その後数百年にわたって機能し続けた。

記録上にある日本からの二度目の遣使は、紀元一〇七年に倭国王の師升《すいしょう》が生口《せいこう》（奴隷）百六十人を献上したとするもので、下賜品が何であったかは記されていない。

三度目の遣使は有名な**邪馬台国《やまたいこく》の卑弥呼《ひみこ》**によるもので、ときに二三九年のこと。邪馬台国から献上された男奴隷六人と女奴隷四人、斑織の布二匹二丈に対し、魏《ぎ》の皇帝は卑弥呼に対して親魏倭王《しんぎわおう》と刻印された金印と紫綬《しじゅ》、使節二人に銀印と青綬を下賜したほか、深紅の地に交龍模様の入った錦《にしき》五匹、同じく深紅のちぢみ毛織十枚、茜《あかね》色と紺青《こんじょう》の絹各五十匹、紺の地の小紋の錦三匹、細かい模様の入った毛織物五枚、白絹五十匹、金八両、五尺の刀二振り、銅鏡百枚、真珠・鉛丹《えんたん》各五十斤を下賜するという気前の良さを示した。朝鮮よりさらに遠方からはるばるやって来てくれたことが、よほど嬉しかったのであろう。

その後、卑弥呼はもう一度使節を送り、卑弥呼死後の戦乱を経て王位に擁立された台与《とよ》もまた少なくとも一度は使節の派遣を行なっている。

その間、中国の歴史は魏・呉《ご》・蜀《しょく》による**三国の興亡**から、西晋《せいしん》による統一を経て、**五胡《ごこ》十六国時代**（三〇四〜四三九年）、**南北朝時代**（四二〇〜五八九年）と推移するが、この南北朝時代の南朝に対して、**「倭の五王」**が使節を送ったことが中国側の史料には記録されている。「倭の五王」がそれぞれ、大和政権のどの大王（天皇の前身）に相当するかについては議論のあるところだが、五番目の武《ぶ》に関しては雄略《ゆうりゃく》天皇を指すという点で見解が一致している。

時代は下り、明《みん》王朝末期に姿を現わした西洋人たちは南蛮《なんばん》の名でくくられ、彼らもまた朝貢貿易しか許されなかった。そのためポルトガル人のなかには倭寇《わこう》の名でくくられる密貿易商に加わる者もあった。ヨーロッパ人にとってそれほど対中貿易は旨味のあるものであった。

一八三九年に始まるアヘン戦争を境に、列強の半植民地下に置かれた中国は、経済成長が著しくなった一九九〇年代から「屈辱の一五〇年」という言葉を使い始め、二十一世紀に入ると、覇権国家の座に返り咲く意思を隠そうともしなくなった。

今やGDP（国内総生産）では、アメリカに次ぐ世界第二位にまで躍り出たが、総人口が十四億人と、インドと並ぶ世界一の人口大国であることを考えれば、一人あたりの生産額はまだまだアメリカには遠く及ばない。

とはいえ、現代中国が目指す覇権国家は、名目より実利を重んじる点を特徴とし、この先どういう展開になるかは予測が難しい。

少なくとも本書の執筆時点で見る限り、かつて屈辱を受けた十九世紀の帝国主義諸国のやり方を踏襲している。国際的な批判が高まったとき、何か独自の新しいやり方を提示することができるのかどうか。今後も中国の外交政策からは目が離せそうにない。

【ナポレオンが残したナショナリズムと自由・民主主義】

◎フランス革命と「国民」の登場

第二次世界大戦は、**自由・民主主義陣営**と**ファシズム陣営**との戦いだった。大戦後の東西冷戦は自由・民主主義の西側陣営と、**共産主義・社会主義**の東側陣営との戦いで、どちらも自由・民主主義陣営が勝つべくして勝利した。

戦後生まれの日本人は、自由・民主主義こそ最善にして全人類が向かうべき道であると、何となくそう信じてきた。

だが、冷戦がたけなわな時期から、このような単純な図式に疑問を投げかける人は多く、いざ冷戦が終結して見れば、疑念を募らせる人は増えこそすれ、決して減ることはなかった。なぜなら、冷戦終結後の世界では、**ナショナリズムのぶつかり合い**に起因する地域紛争が頻繁して、自由・民主主義を通していたのでは解決不可能な状況に陥っているからである。

そこで改めて自由・民主主義の根源を求めると、十八世紀末の**フランス革命**前夜まで遡れば、それが偶然から生まれた歴史的産物であることがわかる。

フランス革命のきっかけは、財政難に悩むルイ16世が、それまで免税特権を受けてきた貴族と聖職者に対する課税の承認を得ようと、長らく休眠状態に置かれていた三部会（身分別議会）を開催したことにあった。

形式だけ整えようとしたルイ16世の意図とは裏腹に議会は紛糾して、折からの異常気象と食糧不足も重なり、パリとベルサイユは不穏な空気に包まれた。

ルイ16世がどうしてよいかわからず、手をこまねいている間に事態は目まぐるしく進展して、オーストリアを中心とした対仏大同盟と戦闘を繰り広げるかたわら、王制の廃止、国王夫妻の処刑、革命派の分裂、粛清の連鎖へと続き、秩序は崩壊していくばかりとなった。

このままでは、ようやく手にしたさまざまな権利が無に帰してしまう。それを恐れた第三身分の有力者たちが秩序を回復できる者を軍人のなかに求めた結果、彼らの目に適ったのがコルシカ島出身の**ナポレオン・ボナパルト**であった。

こと軍事に限れば天才肌のナポレオンほど相応しい人材はおらず、ナポレオン指揮下のフランス軍は連戦連勝。従来の傭兵主体ではなく国民からの徴募兵主体の新生フランス軍は予想外の強さを見せ、ナポレオンがヨーロッパ大陸の覇権を握るのを見せられては、この「**国民軍**」とでも呼ぶべき軍隊の優位を誰もが認めざるをえなかった。

「**国民**」という概念は、ナポレオンが権力を握る少し前に成立したものだった。国王の臣民、貴族の領民という立場から解放された人びとをどのようにまとめ上げればよいか。

教会への反発が強いカトリックは求心力とはなりえず、ドイツのような連邦制を選べば一体感を失いかねない。革命指導者たちが頭を悩ませたすえ考え出したのが国民というまったく新しい概念だった。

◎ナポレオンの戦いが自由・民主主義を伝播した

ナポレオンが、フランス革命の理念やそれにともなって生まれた概念に、どれほど共鳴ないしは理解していたかは定かでないが、ナポレオンの軍門に下った地域では漏れなくそれらが流布した。

つまり、フランスやナポレオンに対して親近感は湧かずとも、新しい概念に敏感な知識人や学生のあいだでは自由・民主主義のもとでの**国民国家**、または**民族国家**こそあるべき姿とする考え方が広まり、言論・集会・結社の自由や憲法の制定、議会の開設といった**立憲君主制**を志向する動きが芽生えたのである。

別の言い方をすれば、ナポレオンが連勝街道を驀進《ばくしん》していなければ、自由・民主主義の価値は認められなかったわけで、軍事的な裏付けをともなわなければ、その後の世界史は大きく様変わりしていたに違いない。

だが、自由・民主主義は決して万能ではなく、この先も自明の理として命脈を保ち続けられるかどうかは微妙である。

ナチ政権は、暴力などの非合法手段を併用したとはいえ、選挙によって成立した後に独裁政権と化したのだから、国民が自ら自由を放棄したといえる。

また冷戦終結後の、一九九〇年代に起きた数々の悲惨な地域紛争を見れば明らかなように、民族主義にも黄色信号が点灯し始めている。

多数決で物事を決するのは賢明なようでありながら、必ずしもそうではない。デマやガセネタ、フェイク、一時の感情などに流され、容易に扇動される人びとも多い。

どんなにまともで、合理的な考えを提示しても、それが少数意見であれば**数の力**の前では抗すべくもなく、常軌を逸した決定がなされることがしばしばある。人びとがもっとも流されやすいのが民族主義やナショナリズムに根差した極論である。

そもそも第一次世界大戦中に、アメリカのウィルソン大統領が提唱した「**民族自決**」は旧帝政ロシア支配下の諸民族を念頭に置いてのものだった。ソ連邦に参加するかどうかの決定は、各民族の意思によるべきという趣旨であって、普遍的なものではなかった。

すでに独立を達成していたバルカン半島は対象外で、まさか世界中でそれを大前提にして、民族の違いによる殺し合いが起きるとは、ウィルソンにとってまったくの想定外であったに違いない。

【二十世紀に台頭し大衆の支持を得たファシズム】

◎世界を席巻したファシズム

欧米でポピュリズム政党や政治家が跋扈《ばっこ》している。彼らに共通するのは政権の奪取や議席の増加が目的で、具体的な政策に欠ける点である。

理性的な人間が多数を占める社会では泡沫で終わる存在が、一大勢力と化している現状は憂えるしかない。**ファシズム**（全体主義）政党や政治家と共通する部分が多いからだ。

意外に思われるかもしれないが、ファシズムは二十世紀になって初めて誕生した政治形態である。それまでにあった専制政治が、あくまで支配層内部の問題であったのに対し、ファシズムは全国民を巻き込むものであった。

第二次世界大戦勃発前、ファシズムに走った代表格はドイツ、イタリア、日本の三カ国だった。これらに共通するのは国民国家としての統合で後れを取ったせいで、最後の植民地獲得競争、いわゆる帝国主義下の覇権争いに遅れを取った国ということである。

ドイツとイタリアはわかるとして、日本は違うのではないかと思われる人も多いだろう。だが、室町幕府は言うまでもなく、江戸幕府とて**中央集権国家**ではなく、各藩が事実上の独立国で、「くに」と言われて「日本」を連想する者などほんの一握りしかいなかった。日本という国家も日本人という概念も、明治時代になってから作られたもので、定着させるまでに数十年の歳月を要した。

スタートダッシュでの後れは高くつき、それが如実に示されたのが一九二九年のニューヨーク発の世界大恐慌に直面したときだった。

英仏など海外植民地や半植民地を多く持つ国々が、経済のブロック化を図ることで危機を乗り越えようとしたのに対し、わずかしか持たない日独伊は、二流国に甘んじるのが嫌なら周辺諸国を併呑するか他の列強の縄張りに手を出すしか、強国としての地位を守る術がなかった。

イタリアで**ムッソリーニ**が独裁権力を掌握したのは大恐慌より前だが、それは第一次世界大戦の戦勝国でありながら、相応の果実にありつけなかった大衆の不満をうまく汲み上げたことに拠っていた。

遅れを取った国々は、**国民意識の創生**にも躍起となった。一体感を強めようと、イタリアは古代ローマの栄光を持ち出し、日本は万世一系《ばんせいいっけい》の神話と「神国」という幻想を前面に押し立てた。ドイツは選民意識を植え付けるため、ユダヤ人とユダヤ系住民をスケープゴートとした。

本来は政府に向けられるべき不満のエネルギーを逸らす上で有効なことは、帝政ロシアですでに実証済みであった。

ファシズムは暴力に頼るだけでなく、大衆の支持をも得て初めて成立する政治体制であるため、民族国家や国民国家に至上の価値を置く近代ナショナリズムに、必ず付随する負の副産物でもあり、経済が苦境に陥れば、ますます求心力を発揮する性格を有していた。

教育水準の高い国が、ファシズムに走るはずがない。現代人はそう考えがちだが、現実は教育水準と理性・思慮分別は必ずしも比例するものではなく、権威に弱い人であれば相手の肩書だけに左右され、上からの指示であれば、平気で非人道的な行為にも手を染める傾向がある。

教育水準が高ければ、それだけ効率の良い殺人方法を思いつくだけに、かえって厄介な存在と言える。

◎無秩序より独裁を支持する人びともいる現実

二十世紀後半には、発展途上国の多くが名ばかりの民主主義で、独裁政権ないしは軍事政権の統治下に置かれていた。

自分たちの与《あずか》り知らぬところで、国境と国民という枠組みを押し付けられ、近代的な教育を受けない状態で自由・民主主義の名のもと普通選挙を実施しろと言われても何が何だかわけがわからず、政治・社会・経済などのあらゆる分野で混乱が生じるのは避けられなかった。

挙句の果てに人びとが選んだのは、無秩序や混乱を収めてくれる強いリーダーの存在で、アイデンティティの未熟な地域では、独裁に身を委ねるのもやむをえない選択ではあった。

曲がりなりにも議会政治が順調に滑り出した国や地域でも、政治家や官僚、警察、司法などの腐敗、不正が酷《ひど》い状態なら、規律ある軍隊によってそれらをひっくり返し、清廉な政治を期待する声が高まるのは避けられない。軍事政権も、ただ軍事力によるのではなく、大衆の後押しがなくては生まれるものではなかった。

話し合いがまとまらず、なかなか決定に至らない**議会政治**より、上意下達やトップダウン方式の独裁政権のほうがましという考え方もある。韓国や東南アジア諸国が経済成長を遂げた背景にはこのような事情があり、国民から一定の支持を得ていたことから否定的な言葉は避けられ、権威主義や**開発独裁**という比較的穏当な言葉で表現されてきた。

現在ではアゼルバイジャンや中央アジア諸国がそうした政治体制をとっており、大衆からの不満は皆無ではないが、地下資源に恵まれていることもあって、大勢を揺るがすほどには至っていない。

だが、ロシアのような大国となれば話は別で、国内では言論の自由の封殺、対外的に旧ソ連のロシア連邦への移行にあたり、独立を選んだ国々を再度併合ないしは覇権下に置こうとする動きが活発化している。

周辺諸国やそれを支援するアメリカ、ＥＵとの間で緊張が高まっているが、自由・民主主義陣営の旗手であったはずのアメリカでも人種差別が再燃し、先進国全体でも基本的人権の後退が見られるなど、世界中がおかしな色に染まりつつある。

自由主義と共産主義以外のイデオロギー対決

◎イデオロギーの違いだけではない代理戦争

二〇一九年は、ベルリンの壁崩壊から三十年の節目であった。東欧で起きた**ドミノ現象**に続いて、一九九一年十二月に**ソ連が解体**したことにより、米ソ二大超大国間の覇権争いであった**東西冷戦**は、アメリカを頭とする自由陣営（西側陣営）の勝利に終わったかのように見えた。

第二次世界大戦は自由・民主主義陣営とファシズム陣営との戦いと思われたが、現実には前者とソ連がタッグを組んでいた。大戦後は勝者間の覇権争いが始まり、それは東西冷戦の名で呼ばれたが、その内実をよく見ると**イデオロギーを巡る論争**はなく、**スパイ合戦や代理戦争**に終始していたことがわかる。

米ソ間で、資本主義と社会主義、自由と共産主義の優越について、本格的な論戦が展開されたことは一度としてない。共産主義陣営内部のソ連と中国の対立も、イデオロギーというよりも路線対立、対米関係を巡る意見の相違に起因していた。イデオロギー論争が行なわれることは、少なくとも政治の舞台では皆無だったのである。

代理戦争は、すべてが朝鮮戦争やベトナム戦争のように、イデオロギーを同じくする側を支援する形態とは限らず、中東ではイスラエルに対する姿勢が最大にして唯一の指針であった。どのような政治体制を取っているかに関係なく、親イスラエル国は西側、そうでない国はアメリカから武器の購入ができないため東側陣営に走った。**中東戦争**の当事者であったシリア、エジプト、ヨルダン、イラクなどがそれで、のちにはこれにリビアが加わり、逆にエジプトとヨルダンが脱落した。

他の発展途上地域を眺めてみると、どのような政治体制をとっているかに関係なく、アメリカは反共を掲げる国や勢力、ソ連はそれに漏れた国や勢力を支援する傾向が強い。

自由や民主主義、人権を唱える勢力はどちらかといえば後者に分類されたため、世界の色分けは自由と共産主義の対立では説明ができず、あくまで**西側陣営と東側陣営**の覇権争いとして捉える必要がある。

◎冷戦期以上に手強い格差社会

いざ冷戦が終結してみれば、社会主義・共産主義をどう捉えるか、歴史上どう位置づけるかが問題となり、当時のＮＨＫ総合テレビで組まれたシリーズ番組では「偉大なる実験」と命名された。

オンタイムで視聴したときには若干違和感を覚えたものだが、あれから三十年弱の歳月を経て再考してみると、決して皮肉などではなく、実に相応しいネーミングであったと感じられる。

東側陣営が崩壊し、共産主義革命の脅威が消え去った途端に、先進国を含む世界中の国々で富の偏在に歯止めがかからなくなったのだから。

共産主義革命を恐れるからこそ、保守政権であっても社会改良に努め、資本家も自制心を働かせてきた。冷戦の終結後は、各国政治家と資本家の良心に任せるしかなくなり、その結果が拡大するばかりの**格差社会**となった。

カール・マルクス（一八一八〜一八八三年）が指摘した、資本主義の悪い面ばかりが目立つ世の中が到来したのである。すでに百五十年以上前に予言されていた資本主義の持つ重大なる欠陥が、共産主義革命の脅威が消え去ってはじめて、白日の下に晒されたことは大いなる皮肉というべきか。

現在までのところ、極右・極左どちらの思想からも具体的な策は提示されておらず、格差の是正に向けて真剣に取り組んでいる政府も見当たらない。**富の偏在**はそれほどまでに既存の政治家やメディアの言動を操作できる力を作り出してしまったのだ。

現在のところ、社会主義体制を維持している国は中国、北朝鮮、ベトナム、キューバなど数えられるくらいに減少してしまったが、中国とベトナムは一党独裁が続いているだけで、社会主義は名ばかりである。北朝鮮とキューバだけでは世界を変えうる主義とは到底思えず、共産主義革命が起きないなら、現在の格差社会の解消は内からの変革に頼るしかあるまい。

その意味では、二〇一六年のアメリカ大統領選挙において、社会主義者を自認する民主党のサンダース候補が健闘したことは注目に値する。アメリカにおける**貧富の差**は目新しい問題ではないが、二〇〇八年のリーマン・ショック以降のそれはあまりに酷すぎる。

大恐慌のときとは比較にならないとしても、貧困層の多さは世界一の経済大国に似つかわしくない。ＩＴなど最先端の科学技術は世界一でも、その他の工業分野で売れる商品づくりへの転換が図れていない現状では輸出が伸びるはずもない。

顧客の嗜好に合わせたモノづくりへと発想を変えないことには、アメリカ経済の真の復活はありえず、貧富の差の解消も覚束ない。

とはいえ、衰えたとはいえどアメリカの持つ影響力はいまだ強く、アメリカの一次産業と二次産業に変革が起こり、格差社会が解消に向かえば、そのやり方に追随する国が必ず出る。その輪が広がれば世界中に蔓延する社会不安もかなり軽減されるに違いない。

それまでの時間稼ぎとして、**富の再分配**を強く主張する経済学者もいて、強権を発動してでも富裕税なり、資産税を取り立て、政府の手で富の再分配を直接行なうしかないと訴える。同様の訴えは宗教学の分野からも聞こえており、権力者が権力の護持を許されているのは、それなくしては不可能なことをやらせるためで、富の再分配こそがその最たるものであるとしている。

歴史上の日本では

◎史実を歪めた皇国史観

世界のパワーバランスは、ころころ変わる。現代の力関係や価値観を千年、千五百年前にそのまま当てはめるなどは愚の骨頂で、**皇国史観**《こうこくしかん》などはその代表格だった。

戦前・戦時中の日本では、皇国史観に基づく歴史教育が行なわれていた。万世一系の神話を根拠に日本を**神国**と位置づけ、世界を天皇のもとに統合すべきとする「**八紘**《はっこう》**一宇**《いちう》」のスローガンが掲げられた。その上、特別な存在である日本人の進化は世界のどことも違って、原始時代を経験することなく縄文時代に始まるなどという教育が、大真面目になされていた。

遣隋使《けんずいし》の小野妹子《おののいもこ》が隋の煬帝《ようだい》（在位六〇四～六一八年）を不快にさせた、「日出る処の天子、書を日没する処の天子に致す」の一文も、皇国史観のもとでは、「日の出の勢いの国」から「斜陽の国」へのものと説明された。

皇国史観に染まる前、およびそれから抜け切った後もしばらくは、皇帝と大王（のちの天皇）を同じく「天子」という言葉で表わしていることを根拠に、対等の立場を貫いたものと解釈されてきたが、近年ではそれさえも否定されている。

問題の一文の前には、隋の皇帝を仏法を興隆させた菩薩天子《ぼさつてんし》と、重ねて称える一文がある。文章全体に仏教が反映されているなら、「日出る処」と「日没する処」は『大智度論《だいちどろん》』という経典の注釈書に由来する単に東西を意味する表現にすぎず、「天子」についても『金光明経《こんこうみょうきょう》』という経典由来の、神々の守護のもとに、神通力を得て仏法を広め、よく衆生《しゅじょう》を教化する国王を意味する言葉である。

仏法の観点から皇帝を天子と称える例はすでに先代の文帝《ぶんてい》（在位五八一〜六〇四年）時の文献からも確認できる。

それでも、中国の皇帝と日本の大王を同じ称号で表わすのは、遣隋使の当時においても不敬であることに変わりなく、煬帝を不快にさせたのも無理はない。

ただし、問題の書状には、発信者と受信者の国名、および両国内で実際に使用されている君主号が記されていない上に、中国では南北朝時代以来、私信に多く用いられた「書を致す」という語が見られることから、正式な国書である「表」とは別に副えられた私信ではないかとも考えられる。

また隋から、何ら官爵《かんしゃく》号を受けてないことも対等外交の証拠とされてきたが、建国当初はまだしも、天下統一をなしてからの隋はどの国に対しても官爵号の授与を行なっておらず、使節の来訪を朝貢と受け取り、実効支配地域での名乗りを追認するに留めていた。したがって日本だけ特別扱いされたのではない。

ちなみに、大和《やまと》王朝は遣隋使に続いて遣唐使《けんとうし》の派遣も繰り返し、**大陸文化の摂取**に努めたが、七〇二年六月に出航した第七回遣唐使は注目に値する。

倭から「日本」へ国号の変更を願い出て許されたのがこのときである。

それまで中国での「日本」は、漠然と東方を指す言葉にすぎず、百済《くだら》に対して用いられたこともあった。日本はまだまだ中華王朝相手に、対等に出られる立場になかったのである。

中国側の治安の悪化にともない、八九四年の遣唐使派遣は沙汰止《さたや》みとなり、八三九年に大使が帰国した船をもって最後となった。それ以降の帰国者はみな新羅《しらぎ》船を用いている。

十世紀以降は、しばらく日中間の公的な往来は断たれたが、民間交易は続けられ、鎌倉時代には大量の銅銭が輸入され、日本国内で共通の通貨として流通した。

日本で神国という概念が台頭したのは、二度に及ぶ元寇《げんこう》（蒙古襲来）を退けたことをきっかけとするが、モンゴルが君臨する元《げん》王朝との往来は完全に断たれたわけではなく、一三四二年には後醍醐《ごだいご》天皇の菩提寺《ぼだいじ》建立のために、天龍寺船《てんりゅうじぶね》という特別な貿易船が仕立てられ、十分な費用を稼いでもいる。

◎倒幕の手段としての尊王思想

江戸幕府も、明《みん》や清《しん》王朝と朝貢関係を結ばなかったが、室町幕府の三代将軍足利義満《あしかがよしみつ》以降だけは事情が違った。

義満は明に朝貢して、「日本国王」の称号を受けたのである。来日した使節との接見に際しては、参列者を信頼の置ける少数に厳選するなど、体裁を取り繕うのに大変だったが、名を捨てて実を取る外交政策は図にあたり、明からの唐物《からもの》（中国産文物）輸入を独占することで、幕府は莫大な利益を得ることができた。

勘合《かんごう》という割符が使用されたことから、この日明貿易は**勘合貿易**とも称されるが、時代が下ると幕府は西国大名に勘合符を切り売りし、勘合符の偽物まで出回った。

戦国時代を終焉させた豊臣秀吉《とよとみひでよし》は、九州のキリシタン大名が宣教師に土地を寄進し、西洋風町並みが築かれつつあるのを見て、神国という概念を強めたが、それは徳川幕府による**鎖国体制**につながりこそすれ、神国概念を普及させるに至らなかった。

平安時代以来の**神仏混淆**《しんぶつこんこう》に変化が現われたのは江戸時代中期のことで、神仏に儒教を加えた**三教混淆**が進むかたわら、**国学**という新しい学問分野が産まれ、大陸文化の影響を受ける前への回帰も叫ばれるようになった。

山鹿素行《やまがそこう》が、日本こそが中華であるという『中朝事実《ちゅうちょうじじつ》』を著わし、国粋主義的な世界観を披露したのも、吉田神道や出雲《いずも》神道など、特定の神社が教団化する傾向を見せ始めたのも、ほぼ同じ頃のことであった。

神国概念は、**尊王**《そんのう》**思想**とイコールではなく、中華思想に倣《なら》った小中華思想とでも呼ぶべきもので、むしろ南蛮諸国を野蛮人として完全敵視する**攘夷**《じょうい》**思想**に近かった。天皇は文字通り雲の上の存在と化し、尊ばれはしても、儀礼以外の役目を期待されはしなかった。

本来は別物であった「尊王」と「攘夷」を結びつけたきっかけは、欧米の船が頻繁に出没するという危機意識にあった。

それまで「クニ」は藩《はん》と同じ意味であったが、十九世紀初頭以来、異国という共通の敵の襲来をひしひしと感じ、「日本」を一つの国として捉える者が少数ながら現われたのである。

一八五三年のペリー来航によって、それが現実になると、事態はさらに急転した。

本来、朝廷から全権を委任されている幕府は、陣頭に立って撃退すべきだった。ところが幕府は一戦も交えることなく、朝廷に判断を仰ぎながら、外国勢力に譲歩するばかりだったから、幕府を見限る者が出てきても仕方のない空気が醸成された。

そうかといって雄藩が主導権争いを続けていたのでは、幕府と列強諸国を利するだけというので、妥協の産物として浮上したのが天皇を国家元首として戴く新体制の構築だった。

ここに本来は無関係であった尊王と攘夷が結ばれ、倒幕の原動力と化したのだった。

◎大きすぎた神聖不可侵のツケ

幕府の打倒に成功したなら、次は攘夷の決行という流れにはならなかった。

新政府軍の主力を担った薩摩《さつま》藩と長州《ちょうしゅう》藩は、それぞれ列強軍と戦火を交えて実力の差を実感しており、攘夷を無期限凍結していた。

列強は産業革命を終え、植民地獲得の最終段階である帝国主義時代に突入したときにあたっていた。清が二度目のアヘン戦争で惨敗を喫したとの情報から、日本が清の二の舞になることを避けるため、ここは堪えて列強に倣った近代化を図る以外に日本が生き延びる道はないとして、路線変更をしたのは、極めて賢明な判断であった。

日本の一般庶民にまで「日本国民＝皇民」という意識を衆知させるためには、明治天皇が**全国巡幸**により自己の存在を明示することが必要であった。さらに日清戦争（一八九四～一八九五年）と日露戦争（一九〇四～一九〇五年）における勝利が、その役割を果たした。

幕末に結ばされた**不平等条約**を改定するには、日本が憲法の制定など、本格的な近代化への道を歩みだしたことを内外に示さねばならない。

明治二十二年（一八八九）には、**大日本帝国憲法**（明治憲法）が公布されたが、そこでは天皇を国家元首としながら、その責任範囲については曖昧《あいまい》にされた。

これは、対外戦争で敗北した場合などに、天皇に責任が及ばぬようにするための苦肉の策であったが、結果から見れば、軍隊に対する指揮系統に違った解釈ができる余地を残したことで、のちに軍部の暴走を許すことになってしまった。

明治憲法では、天皇家を万世一系の皇室とし、**神聖にして不可侵**の存在と位置付けたことから、刑法第七三条の大逆罪《たいぎゃくざい》も規定された。刑法の別の条では、太皇太后《たいこうたいごう》、皇太后、皇后、皇太子、皇太孫に対する不敬な言動に対しても、三カ月以上五年以下の懲役を課する不敬罪が規定され、時代が少し下ると、対象が神宮と天皇陵、皇族全体にまで拡大された。

ただし、何をもって不敬とするかの定義はなく、そのあたりは警察や裁判所の裁量に任され、いかようにも解釈された。天皇制を否定する共産主義者は、海外へ逃れるか地下に潜るしかなかった。

昭和十一年（一九三六）の**二・二六事件**によって、政党政治が完全に命脈を断たれると、**皇民化教育**はいっそう強化された。

日露戦争で、多数の捕虜が出たことから、投降を禁止する「**生きて虜囚《りょしゅう》の辱めを受けず**」の戦陣訓《せんじんくん》が発布されるなど、現在から見れば異様な空気が日本中を覆った。

対米英開戦が必至となると、欧米列強からの解放を謳う**大東亜共栄圏**のスローガンもにわかに拡散された。

太平洋戦争の戦況が不利になると、日本軍が侵攻した国の首脳を集めた**大東亜会議**などで大東亜共栄圏を訴えるかたわら、「神州不滅」「一億火の玉」といった空虚なスローガンがいっそう強調され、ついには**玉砕《ぎょくさい》と特攻作戦**が繰り返されるようになるが、それは戦果に乏しく、いたずらに若い命を散らせただけだった。

沖縄では民間人でも投降が許されず、自決を強いられる空気が広まり、ソ連参戦後の満州でも沖縄と同様の惨状が繰り返された。

神国が負けるはずはないとの思い込みというか、イデオロギーのもたらした代償はあまりに大きすぎた。

第3章

熾烈な競争を繰り広げた「植民地獲得」

世界の
今を考える

◎英語が最強の国際語である理由

世界一の国際語はどれか。

使用人口の数でいえば中国語やヒンディー語、使用範囲の広さでいえばアラビア語やトルコ語も挙げられるが、どちらの要素も兼ね備えた言語でいえば、やはり英語とスペイン語に匹敵する言語はないだろう。スペイン語圏はスペイン本国に加え、ブラジルを除く中南米の大半を占めているのだから。

アメリカ南部にも、英語がまったく話せないメキシコからの不法移民が多いのだから、そこまでをスペイン語圏に含めてもよいかもしれない。

スペイン語圏が、ここまで広大になった理由の最たるものは、ポルトガルとともに大航海時代の先頭を切り、他にライバルがいなかったことに尽きる。

一方の英語は、イギリスやアイルランド、アメリカ、カナダ、オーストラリア、ニュージーランドを始めとする、イギリスの旧植民地で国語または第一公用語と位置づけられ、公用語の一つと認められている国や地域も含めれば、全人類の七人に一人は話せる計算になる。話者人口としては中国語に及ばないまでも、経済効果で言えば、やはり世界最強の国際語と言える。

さすがイギリスは「**太陽の沈まない帝国**」と呼ばれただけあると持ち上げたくもなるが、それだけ多くの人間を騙し、奪ってきたことの証拠でもあるのだから、表と裏、光と影の二面性を持つ言語としたほうがよいかもしれない。英会話に不自由なく、読み書きもそつなくこなせれば、世界中どこへ行っても生きていける可能性が高いのだから。

負の遺産を引きずるにしても、他の言語でここまで重みのある言語は見当たらず、たとえアメリカの覇権が完全に崩れ去っても、英語の国際的価値がそれと運命をともにすることはなく、少なくとも今後一世紀は最強の地位にあるはずである。

◎移民問題は自業自得でもある

フランス語は、英語とスペイン語に及ばないまでも、それに次ぐ影響力を有しており、ドイツ語やイタリア語にしても同じことが言える。

だが、かつて列強と呼ばれた国々は、現在では例外なく**移民問題**を抱えている。移民の受け入れは労働力不足だけが理由ではなく、かつての植民地支配を引きずっている場合がほとんどである。

現在のイギリスの首都ロンドンは、参政権を持つ外国出身者だけで人口の一割を超え、参政権を持たない長期滞在者も含めれば総人口の二割から三割くらいを占めるかもしれない。大ブリテン島全体を見ても、インド料理店のない町などどこにもなく、往年の大英帝国の面影が感じられる。

インド亜大陸がまだイギリス植民地であったとき、使用人や何らかの専門職、あるいは白人男性と結婚してイギリス本土に移住した人が多く、彼らには親族を呼び寄せる権利があったことから、大ブリテン島における南アジア出身者の人口は、移民のなかでも最大多数を占めることとなった。

フランスはインドシナや西アフリカ、マグレブ（リビア以西の北アフリカ）、カリブ海のハイチなどを植民地に、シリアとレバノンを委任統治した関係上、移民構成は多様を極める。かのカルロス・ゴーンは、レバノン系ブラジル人の父とナイジェリア生まれのレバノン人を母としてブラジルで生まれ、初等教育をレバノン、高等教育をフランスで受けた後、フランス国籍を取得した。

今なおイギリス連邦があるのと同様、フランスも旧植民地や委任統治領とのつながりが続いているわけで、アルジェリアのように独立戦争が長く激しく続いたところでは、対仏協力者を見捨てるわけにはいかず、当人とその親族を受け入れないわけにはいかなかった。

植民地の少なかったドイツでは、若干事情が異なり、第二次世界大戦後の労働者不足を補うため、積極的に移民を受け入れたのが始まりで、対象国の中にはトルコも含まれていた。

ヨーロッパ諸国の経済復興がのきなみ進展するなか、トルコでは経済難が続き、出稼ぎ労働者の送り出しが継続された。永住権を取得した者がいれば、その親族も無条件で移住できたことからトルコ人コミュニティーとトルコ出身クルド人コミュニティーがそれぞれ拡大して、今日に至る。

ドイツを例外として、移民問題は植民地支配のツケである場合が多いわけで、負の影響は支配された側にも深い傷跡を残した。

アフリカとアジアに不自然な国境が多いのは、現地の実情を完全に無視した列強間の話し合いで、勢力区分が決められたからである。

パシュトゥーン人のように、アフガニスタンとパキスタンに分断された民族もいれば、アフリカでは文化的背景をまったく無視した線引きが行なわれ、それが現在も頻発する地域紛争の根本的な原因ともなっている。

◎「強いロシア」の復活を目指すプーチン

東西冷戦の終結が旧共産圏にもたらした影響も大きい。一九八九年十一月九日のベルリンの壁崩壊とともに東欧諸国でドミノ現象が起こり、一党独裁の廃止にともなって普通選挙を実施したところ、のきなみ民族主義政党が勝利を収めた。

共産主義が完全な遺物と化しただけでなく、典型的なモザイク国家であったユーゴスラビアは解体に次ぐ解体を重ね、元の国名さえ消え失せてしまった。

十九世紀末のオスマン帝国下にあったときはまだ、近代ナショナリズムは一部知識人だけのもので、セルビア人やクロアチア人ではなく、正教徒やカトリックもしくはオスマン人というアイデンティティーしか有していなかったが、わずか百年にして人びとの意識は激変した。

大帝国や独裁政権は、その存在自体からして何かと批判されがちだが、モザイク状の社会を争いなくまとめるのに大きな効果を持っていたことは間違いなかった。

ソ連が解体したのは、一九九一年十二月のことだが、ベラルーシとウクライナ及びカフカスの三国が自主的に離れていったのに対し、中央アジアのカザフスタン、トルクメニスタン、ウズベキスタン、タジキスタン、キルギスの五カ国は切り捨てられた感が否めない。

ただでさえムスリム人口が多数を占めていることに加え、ロシア系住民よりはるかに出生率が高いことから、争いの種になるとして、ロシア連邦に入れてもらえなかったのである。

一党独裁から一転、自由・資本主義国家となったロシアの門出は厳しく、ユダヤ系を中心とする新興財閥やマフィアが跋扈《ばっこ》したその時期は「失われた10年」とも呼ばれる。それを経て誕生したのが**プーチン政権**で、新興財閥の粛清を手始めに、「**強いロシア**」の復活を掲げて一挙巻き返しに転じた。

プーチンを強く刺激したのは、東欧諸国に続いてカフカスのグルジア（現在のジョージア）やウクライナに**EU加盟**の動きが出てきたことで、それに留まればまだしも、**NATO**（北大西洋条約機構）に加盟されては一大事である。

グルジアやウクライナにNATO軍基地が設けられては、喉元に刃物を突き付けられたのも同然で、半永久的にNATO加盟国に対して低姿勢を強要される。それを回避するため二〇〇八年には、南オセチアとアブハジアの独立支援を口実としてグルジアに侵攻。ウクライ

ナに対しては天然ガスの供給停止という強硬手段に出たのだった。

ロシア系住民の多いクリミアの、ウクライナからの分離独立とロシアへの編入。同じくロシア系住民の多いウクライナ東部への派兵もその延長線上にあるが、きっかけを与えたのはウクライナの右派政権が進めた公用語からのロシア語排除で、覇権がどうこういうより、同朋の救済が急務とされた一面を見落とすわけにはいかない。

しかし、ロシアに覇権国家への復活志向があるのは間違いなく、ソ連解体より前に独立を果たしていたバルト三国やフィンランドは、次に狙われるのは自分たちでないかと警戒心を募らせている。

【フランスの植民地に等しかった大ブリテン島】

◎正式名称に表れた複雑な連合王国の内情

ブレグジット問題やスコットランドの独立運動など、近年のイギリスは何かと世界の注目を集めている。イギリスの正式な国名は「大ブリテン・北アイルランド連合王国」で、大ブリテンという島はイングランド、ウェールズ、スコットランドの三つの王国からなる。

実質的にはイングランドがウェールズとスコットランドを併合して両国の王位をも兼ね、アイルランドが独立する際、プロテスタントが多数派を占める北東部のみをイギリス領に留めたのだが、征服や併合という名目では何かと角が立つので、共通の王を戴く連合王国という体裁が取られたのである。

つまり、大ブリテン島の南部から中部に及ぶイングランドこそがイギリス史の中心であったわけだが、実は十一世紀にいたるまで同地域の支配者は目まぐるしく入れ替わった。

イギリス王朝史について語る場合、一〇六六年の「**ノルマン征服**」を起点とする。現在のフランス北西部のノルマンディー地方から襲来したノルマンディー公ギヨームが王位継承争いに勝利し、イングランド王**ウィリアム1世**として即位した事件で、麾下《きか》の騎士たちはすでに古代ローマ文化の後裔であるラテン文化とキリスト教を受け入れ済みのノルマン人騎士約百七十人からなっていた。

ノルマン人は、もとをたどればデーン人である。デーン人は現在のデンマークから移住してきたバイキングの一派で、広い意味ではゲルマン民族の一つに数えられる。

ウィリアム1世が、領主と上位聖職者をすべて大陸出身者に入れ替えたことから、それまで支配者の座にあったアングロ・サクソン人は支配される側に転落した。

アングロ・サクソン人もゲルマン民族の一派で、アングル人やサクソン人、ジュート人、フリースラント人など、西北ドイツからユトランド半島に待機していた諸民族の総称である。

散発的な渡海は、二世紀に始まっていたが、内戦当事者から援軍要請されたのをきっかけとして、大規模渡海が開始されたのは四四九年のことだった。

それより前の四一〇年には、ローマ軍が完全撤退していたから、内戦の当事者はケルト民族の一派であるブルトン人だった。

彼らが大ブリテン島に渡り始めたのは前七世紀のことなので、**ストーンヘンジ**の名で知られる巨石文明の担い手は彼らではなく、ビーカー人といういまだ未解明部分の多い民族だった。

◎英仏をまたいだアンジュー帝国

ウィリアム1世は、フランス王の封臣でもあった。ノルマン朝の後を継いだプランタジネット朝も同様で、プランタジネットの家名はアンジューの英語読みである。母方でノルマン家の血を引いていたことから、アンジュー伯のアンリ1世がイングランド王ヘンリー2世として即位したのだった。

妻のイリナ（アリエノール）が、フランス南西部一帯に広がるアキテーヌ公領の相続人であったことから、ヘンリー2世の領土は大陸にあるだけでもフランス王の直轄領をはるかに上まわり、イングランドの王位も兼ねたことで、その版図はドーバー海峡をまたぐ大国と化した。史上これを「**アンジュー帝国**」と呼びならわしている。

長男と次男が早死したことから、三男のリチャード1世が後を継いだが、アキテーヌで生まれフランス語で育てられた彼は、イングランドを重視することなく、在位十一年間のうちイングランドにいたのは計半年余にすぎず、英語が話せたかどうかも疑わしい。そんな彼であれば、イングランドを植民地扱いしてもおかしくはなかった。

このような背景に加え、英仏両王室が幾重にも婚姻関係を結んでいたことを考慮に入れれば、一三三七年に始まる**百年戦争**は決してイングランド側の言いがかりではなく、それなりに根拠のあるものであった。

中世に起きた百年戦争を第一次百年戦争とし、十八世紀から十九世紀初頭にかけて主に海外植民地を舞台に行なわれた戦いを第二次百年戦争と呼ぶ場合もあるが、第一次ではイギリス側が大陸にあるすべての領土を失う結果に終わったのとは逆に、第二次では大半の戦場でイギリス側が勝利を収め、国際的な覇権を手中にした。

唯一の敗北は、フランスが全面支援したアメリカ独立戦争で、北米植民地の南半分を失うことになったが、その雪辱は一八〇五年のトラファルガーの海戦と一八一三年のライプツィッヒの戦い及び一八一五年のワーテルローの戦いで果たされた。

英仏間にできてしまった遺恨は、そう簡単に解消とはいかず、完全な和解は一九〇四年に英仏協商が締結されるまで待たねばならなかった。統一国家の樹立からわずか三十年で急成長を遂げ、本格的な軍拡路線を鮮明にしたドイツの脅威が、長年の宿敵だった両国を蜜月へと誘ったのだ。

それから二度の世界大戦を経た頃には、英仏間の遺恨はほとんど消え去り、手を携えてヨーロッパの再建に努め始める。アメリカとソ連の狭間にあって埋没してはいられないとばかり、EC（ヨーロッパ共同体）を結成。それを発展的に解消させた組織がEU（ヨーロッパ連合）だが、イギリスは結成当初から統一通貨ユーロの導入を見送るなど、フランスとドイツが主導権を握った同組織中枢から少し距離を置く姿勢を示した。

二〇一六年実施の国民投票でブレグジット（EUからの離脱）が僅差で可決されてから、その先がなかなか決まらずにいたが、合意の有無に関係なく、二〇二〇年一月末日をもって離脱することが決まった。

【地球を二分割したスペインとポルトガルの世界進出】

◎世界中に散在する二つのラテン語圏

東ティモールが、インドネシアからの独立を果たしたのは二〇〇二年五月のこと。バリ島とニューギニア西部を除けば、大半がイスラーム圏のインドネシアにおいて、東ティモールはキリスト教でもカトリックの信者が大多数を占める特異な地域であった。

そうなった理由は、同地が長らくポルトガルの植民地であったからで、ポルトガル本国で政変が起きたのに乗じて、一九七四年にインドネシア軍が制圧。翌年には併合を宣言した。

また香港に隣接するマカオは、一九九九年十二月に中国に返還されるまではポルトガル領で、なかでもユネスコの世界遺産に認定されている歴史地区は、十六世紀以来のコロニアル建築の宝庫である。漢字さえ目に入らなければ、ポルトガル本土の都市とさして変わらない風景が広がっている。

目をマカオと東ティモールの中間に位置するフィリピンに転じれば、一八九八年までスペインの植民地であった関係上、国民の九三パーセントがキリスト教徒、八三パーセントがカトリックというASEAN（東南アジア諸国連合）加盟国のなかで唯一のキリスト教国で、首都マニラ市内やその近郊には、現在もスペイン統治時代の教会や要塞の跡が数多く残されている。

インド西海岸に位置するゴア州のオールドゴアには、来日経験もある宣教師フランシスコ・ザビエルの眠るボム・ジーザス教会があるが、同州もかつてはポルトガル領で、アジアにおけるポルトガルの一大拠点でもあった。

次にアメリカ大陸に目を転じれば、中南米大陸はラテンアメリカとも呼ばれ、ポルトガル語を公用語とするブラジルを除けば大半がスペイン語圏に属している。これは十九世紀までスペインの植民地だったからで、アメリカ南部やカリブ海地域の一部もそれに含まれる。

アフリカ大陸でも、アンゴラやモザンビークなどポルトガル語を公用語とする国が五カ国もあるなど、スペインとポルトガルの足跡はオセアニアを除く世界中に点在している。

なぜそうなったかと言えば、答えは単純である。西洋による**大航海時代**の口火役を担ったのが両国だからで、両国がそれを担えたのは**レコンキスタ**（国土回復運動）を通じて中央に税金が集まる体制ができていたからだった。

ポルトガルが、国策としてインドへの**新航路開拓**に取り組んでいたのに対し、スペインはイタリアのジェノヴァ出身のコロンブスから提示された、西廻り航路開拓案に疑念を抱きながら、しぶしぶ出資に同意したかたちだった。

◎子午線で設定した植民地分界線

新航路開拓の理由は、大きく分けて二つあった。一つは**香辛料**をそれまでより低価格で安定的に確保すること。もう一つはオスマン帝国を挟撃する**同盟者の捜索**にあった。

香辛料の需要増加には、十四世紀半ばに西ヨーロッパ全土で大流行した**ペスト**（黒死病）が関係する。三人に一人が死亡したとされるこの災厄が逆に幸いして、西ヨーロッパ全体が適正人口に落ち着き、一人当たりの生活水準を向上させ、肉を常食できるようになったのである。

けれども、肉の保存には香辛料が欠かせず、その供給ルートはオスマン帝国とイタリアの交易都市に独占されていた。

そこでオスマン帝国領と地中海を介さない新航路の開拓が進められ、ポルトガル王マヌエル1世（在位一四九五〜一五二一年）の命令を受けた**ヴァスコ・ダ・ガマ**が、アフリカ大陸最南端をまわり、一四九八年五月にインド南西岸のカリカットに到達。翌年九月にリスボンへの帰港を果たしたことで、大成功に終わった。

スペインのほうはかなり遅れ、一五一九年九月に出港した**マゼラン艦隊**が、南米大陸南の海峡から太平洋へ抜け、途中のフィリピンでマゼランの戦死を経ながらも、インド洋からアフリカ大陸南端を回って帰港を果たしたのは一五二二年九月のことだった。

どちらの航海ともに歴史的偉業に違いないが、成功自体は確実視されていたことから、スペインとポルトガルの間では、一四九〇年頃から縄張り争いが激化。一四九三年六月には、ポルジア家出身の教皇アレクサンデル6世（在位一四九二〜一五〇三年）の仲立ちで、アフリカ大陸の西に浮かぶベルデ岬諸島の西一〇〇レグア（約五〇〇キロメートル）の子午線を境界線として、西方をスペイン、東方をポルトガルの活動領域とすることで話がまとまりかけた。

だが、ポルトガル王ジョアン2世（在位一四八一〜一四九五年）が不服を唱えたことから、一四九四年六月に改めてスペイン北西部の町でジョアン2世立ち合いの会談が開かれ、ベルデ岬諸島の西三七〇レグア（約一八五〇キロメートル）の子午線を境界とする**トルデシリャス条約**が締結された。

これによれば、大西洋に面した地域はスペイン、インド洋と太平洋はポルトガルの領域となるが、地球は球体であるから、西半球の境界は明確でも、東半球はすべてグレーゾーンとなる。

さらにイギリスやオランダなどが参入するにともない、事情はさらに複雑化して、トルデシリャス条約は意味をなさず、武力による争奪戦が展開された。

これによりポルトガルの拠点は次々と奪われ、先に列挙したのは辛うじて奪取を免れた地域だが、東ティモールにとっては大いなる不幸であった。

同地特産の白檀《びゃくだん》にしか関心がないポルトガルは、それを採取し尽くした後に何の産業をも起こさず、その無為無策が現在も尾を引いている。

【ラテンアメリカとオセアニアで白人が行なった民族浄化】

◎「ハカ」に込められた魂の叫び

二〇一九年に、ラグビーのワールドカップが日本で開催されたが、参加二十カ国のうち五カ国がオーストラリアやニュージーランド、サモア、フィジー、トンガの太平洋・オセアニア諸国によって占められていた。

ニュージーランド代表が、試合前に戦意高揚と相手を威嚇するために行なう「ウォークライ（戦いの叫び）」の「**ハカ**（わたしは死ぬ）」はすっかり馴染みになったが、同様のものはオーストラリアを除く他の国々にもあり、サモアのものはシヴァ・タウ、フィジーのものはシビ、トンガのものはシピ・タウと呼ばれている。

同じく球技でも、サッカーはヨーロッパと並んで南米での人気が抜群で、ブラジルやアルゼンチンに加え、最近ではチリやウルグアイも成長著しく、強豪がひしめく状況にある。

こうしたスポーツ競技は、国際情勢や歴史との関係が深く、ラグビーがオセアニア、サッカーがラテンアメリカで盛んな理由は、過去の植民地支配を抜きにして語ることはできない。

中南米が**ラテンアメリカ**とも呼ばれるのは、スペインとポルトガルという二つのラテン国家の植民地にされ、ラテン語系のスペイン語かポルトガル語のどちらかが公用語とされているからで、先住民は人種の上ではモンゴロイドに分類される。

ラテンアメリカにせよオセアニアにせよ、ヨーロッパ人がやって来るまでは独自の文化を育んでいた。

南米では前二六〇〇年頃から**アンデス文明**、中米でも紀元三〇〇年頃から**マヤ文明**が栄え、鉄器時代こそなかったが、巨大石造建築や黄金の装飾品に代表される高度の文明を築き上げ食文化も充実していた。

戦争がなかったわけではないが、アジアやヨーロッパに比べればはるかに長閑《のどか》な世界。それを一変させたのがヨーロッパ人の到来で、アステカを滅ぼした**コルテス**（一四八五～一五四七年）と、インカを滅ぼした**ピサロ**（一四七五頃～一五四一年）の悪名は現在も鳴り響いている。

一五四五年に、現在のボリビア南西端に位置するポトシ銀山が発見されてからは、強制労働に駆り立てられて死亡する先住民が後を絶たず、それ以上に人的被害をもたらしたのが百日咳《ひゃくにちせき》や麻疹《はしか》、インフルエンザ、天然痘といった、アメリカ大陸では未知の**ウイルス性の病気**であった。

免疫力を持たない先住民は、罹患したら治癒の見込みはなく、メキシコ高原では一五四五年からの四年間だけで三人に一人が死亡。スペイン人の到来から百年を経たずして人口が九五パーセントも減少する異常事態となった。

事情は南米のアンデス海岸部でも同様で、スペイン人の到来前には一千万人以上いたと思われる人口が、一五七〇年代には百三十万人、一六三〇年代には六十万人にまで減少したうえ、移住やカトリックへの改宗を強要され、従来の共同体や伝統文化が消滅の危機に晒されることとなった。

◎アボリジニーへの差別政策を放棄したオーストラリア

オセアニアも事情はいっしょで、違うのは当事者がスペイン人やポルトガル人ではなくイギリス人というところだ。

オーストラリアでは、天然痘に類似した病気やアメリカ大陸発祥の梅毒、インフルエンザ、麻疹、ニュージーランドでは麻疹や流行性感冒、流行性耳下腺炎（おたふくかぜ）、百日咳、結核などにより人口が激減した。

オーストラリアの先住民アボリジニーは、タスマニア島で全滅したほか、他の地域でも十分の一以下となったために「死にゆく人種」と呼ばれ、ニュージーランドの先住民マオリも一八四〇年には約八万人を数えた人口が一八九一年には四万二千人とほぼ半減した。

これと並行して土地の収奪と差別政策が進められ、オーストラリアでは純粋なアボリジニーは「保護」の名のもと、政府管理の居留地リザーブや宣教師が管理する居留地に隔離された。

一方、白人との混血児は家族から引き離されて施設に収容され、成長後の男子は過酷な低賃金労働、女子は家事奉公人となるよう強いられ、給与は彼らに直接渡らず、保護官に支払われる仕組みだった。

当人たちの手に渡るのは、小遣い程度の金額にすぎず、残りの大半は保護官を後見人とする銀行口座に預けられ、当人が自由に引き出すことは許されなかった。

家事奉公人の女子が妊娠すれば、強制的に居留地へ送られた。そこで生まれた子どもも成長後は同じ運命を辿るしかなく、一九六五年には家事奉公人の六五パーセントが居留地出身の女子によって占められていた。

伝統文化を野蛮として捨てさせ、西洋文化とキリスト教を叩き込む。こうした差別政策が完全に放棄されたのはつい最近のことである。

少しずつではあるが土地の返還や金銭的な補償も行なわれ、観光資源になるというので、伝統文化の復活と保存も公認・奨励されるようになった。

二〇一九年十月二十六日をもって、オーストラリアのウルル、日本ではエアーズロックの名で知られる巨大な一枚岩への立ち入りが禁止されたのもその一環で、同地がアボリジニーの聖地であるというのが理由である。

【海外植民地を巡るイギリスとフランスの戦い】

◎今なお北米に残るフランスの痕跡

カナダのケベック州は、同国で唯一フランス語を公用語とするところで、何度か独立運動が盛り上がったこともある。またカナダとアメリカをまたぐミシガン湖のミシガンとは「大きな湖」を意味する先住民の言葉のフランス語訛《なま》り。自動車産業で名高いデトロイトはフランス語で「海峡」を意味する言葉に由来する。ケベック州とその周辺にフランス語由来の地名が多いのは、十七世紀から十八世紀中ごろまで展開された**第二次英仏百年戦争**と関係している。

英仏間の第一次百年戦争は、フランス本土を舞台に展開されたが、第二次百年戦争は北米、インド亜大陸など植民地を舞台に展開された。

十七世紀末時点、北米大陸に拠点を確保していたのはイギリス、フランス、スペイン、ロシアの四カ国。比較的開発の進んだ東部では、英仏二強が激しく競い合っていた。

きっかけさえあれば、いつ戦端が開かれてもおかしくない状況下。ヨーロッパでスペイン・ハプスブルク家が断絶したことにより、**スペイン継承戦争**（一七〇一～一七一四年）が起きると、北米大陸でもイギリス史上「**アン女王戦争**」と称される英仏間の戦いが勃発した。この戦争に勝利したイギリスは、一七一三年の**ユトレヒト条約**でニューファンドランド島とハドソン湾の領有を認められた上に、フランスからアカディア（現在のノヴァスコシア州）を割譲された。

ついでヨーロッパでのオーストリア継承戦争（一七四〇～一七四八年）と連動して、北米大陸でもイギリス史上「**ジェンキンスの耳の戦争**」と「**ジョージ王戦争**」と称される戦いが起きるなど、大西洋岸から西方に農業植民地を拡大させたいイギリスと、カナダからメキシコ湾に至る交易路の確保を図りたいフランス間の対立はさらに深まった。

そしてヨーロッパで**七年戦争**（一七五六～一七六三年）が勃発すると、北米大陸における英仏の戦いも最終局面を迎える。

イギリス史上「フレンチ・アンド・インディアン戦争」と呼ばれるこの戦いは、イギリスの圧勝に終わり、一七六三年締結の**パリ条約**で、フランスはカナダとミシシッピ川以東の地を喪失。ここに北米大陸東部を巡る覇権争いはイギリスの勝利で幕を閉じた。

イギリス側の勝因は、本国でいち早く近代的な財政システムが構築され、予算の承認や軍隊の派遣など、何事においても迅速に事が運んだことに拠っていた。

けれども、フランスも負けたままで手を引いたわけではなく、北米東部十三州で独立戦争が勃発すると、本格的な干渉に乗り出し、アメリカ独立に手を貸すことでわずかながら一矢を報いた。ただし、そのツケは高くつき、この干渉に要した軍費が国庫の窮迫に拍車をかけ、フランス革命の呼び水となった。

◎英仏による東インド会社と植民地経営競争

英仏両国の戦いは、インド亜大陸でも展開されたが、そこが戦場となったのは、両国ともに海外進出に遅れを取って東南アジア島嶼部への参入ができず、インドを代替地とするしかなかったからだった。

イギリスの東インド会社が、インドに最初の商館を設けたのは一六一二年のこと。場所はインド西部、カンバート湾を挟んでグジャラート地方と向かい合う港町スーラトだった。その後も着々と商館の設置と商館網の形成に努めた結果、十七世紀末までには、ベンガル、マドラス、ボンベイの三管区からなる確固たる地盤を築くまでになった。

フランスの東インド会社は一六〇四年に創設したが、業績が上がらず放置され、一六四四年に再編成された。一六七四年にインド南東部コロマンデル海岸のポンディシェリーで土地を購入。要塞化してインドにおける本拠地とした。ベンガルのシャンデルナゴルや同じくコロマンデル海岸のマスリパタムにも商館を設けるなど着々と足場を固めてはいたが、スタートの遅れはどうしようもなく、貿易額は同時期のイギリス東インド会社の半分にすぎなかった。

インド亜大陸は広大とはいえ、貿易に適した港湾都市は限られる。そのため英仏の対決は早晩避けられず、オーストリア継承戦争にともなって起きた、**第一次カーナティック戦争**（一七四六～一七四八年）を最初として、両軍は三度のカーナティック戦争を経験する。

第一次は純粋な英仏戦争に近かったが、**第二次カーナティック戦争**（一七四九〜一七五四年）は現地勢力の後継者争いに端を発するもので、第一次はフランス側の勝利に終わり、第二次は五分と五分。そして七年戦争に付随して起きた**第三次カーナティック戦争**（一七五六〜一七六三年）ではイギリスが勝利を収め、ポンディシェリーをも占領するに及び、インド亜大陸を巡る英仏間の争いも終わりを告げた。

この頃にはムガル朝も衰退著しく、イギリス東インド会社はマラーター同盟やシク王国に匹敵する軍事勢力へと変貌を遂げ、勢いのまま**インド大陸全域の植民地化**に邁進した。

イギリスの影響は、一九四七年のインド独立後も残り、二〇二〇年一月時点で、連邦公用語としてヒンドゥー語、州言語として公認されている言語が二十一あることに加え、英語が事実上の準公用語の地位を保っている。多民族・多言語からなるインドにおいてもっとも中立的な言語と見なされているからである。

独立以来、歴代の首相はみな英語に不自由しなかったが、**ヒンドゥー至上主義**を掲げるインド人民党だけは別で、同党出身の首相は英語を話さず、ヒンドゥー語を使用した。

ボンベイをムンバイにするなど英語的な地名を土着語に改める動きが顕在化したのは、同党を中心とする連立政権が成立した一九九八年より三年前のことだが、それは全国的に**脱イギリス・脱欧米**の空気が高まってきたことの表われで、南アジアにおけるパキスタンとの、アジア全域における中国との覇権争いが本格化する前触れでもあった。

【清の乾隆帝が遺したウイグル・チベット問題】

◎十八世紀にウイグル・チベットを征服した乾隆帝

二〇一九年十月一日、中国は建国七十周年を迎えた。

現地メディアが大々的に祝福ムードを報じていたのとは対照的に、公安当局はテロや大規模な抗議行動が起きるのではないかと警戒心を高めていた。**香港での抗議行動**はもちろん、**ウイグルやチベットなど虐げられている少数民族**が過激な行動に出る恐れが十分あったからだ。

少数民族と言っても、それは漢民族の占める割合に比べての話で、絶対数と生活圏からすれば、独立国家を築くに十分な条件を備えている。それにもかかわらず彼ら固有の地である東トルキスタンとチベット高原は、**自治区**という名の**国内植民地**とされたままの状態にある。

そのきっかけを作ったのは、ヌルハチから数えて大清帝国六代目の皇帝、**乾隆帝**《けんりゅうてい》（在位一七三五～一七九六年）にあった。乾隆帝は遠征軍を派遣しての戦いすべてに勝利したとし、「十全老人《じゅうぜんろうじん》」と称した。遠征の対象は現在のベトナムやミャンマー、ネパールなどにも及び、最大版図は現在の中国にモンゴルと台湾を加えた範囲にまで拡大した。

だが、全戦全勝というのは大嘘で、実際には金銭と引き換えに国境侵犯をやめてもらったケースが多く、台湾で起きた反乱はともかく、四川省《しせんしょう》西北境外で起きた反乱の平定にはとことん手を焼き、戦死者の数と戦費は想定外のものとなった。

そんな遠征のなかで、乾隆帝がもっとも重視したのが東トルキスタンに盤踞《ばんきょ》するジュンガルというモンゴル系遊牧国家に対するもので、彼は中華帝国の君主として何としてでもその制圧をなさねばならないとの思いに捕らわれていた。

初代のヌルハチが定めた国号は大金《だいきん》（後金《こうきん》）であったが、それを「大清《だいしん》」と改めたのは二代目のホンタイジで、国号の変更はモンゴルの有力者から「大元伝国之璽《だいげんでんこくのじ》」という元王朝の正統な後継者である証拠の印璽を入手したことに加え、モンゴル高原南部四十九旗のベイレ（王侯）からボグド・セチェン・ハン（神武英明皇帝）の尊号を贈られたことに由来した。

複数の民族に君臨する者こそ皇帝と名乗るに相応《ふさわ》しい。そんな皇帝を戴く国家こそ帝国と名乗るに相応しいとするなら、漢民族を統治下に入れてもまだ足りず、モンゴル高原から東トルキスタン一帯を支配し、チベットにも多大な影響力を持つジュンガルとそれに与《くみ》する諸部族を屈服させる事業は、是が非でもやり遂げなければならないというのが乾隆帝の考えであった。

かくして執拗なまでに遠征を繰り返し、東トルキスタンを征服。そこに「新たな境界」を意味する新疆《しんきょう》の名を与えたことで乾隆帝の欲望は満たされた。チベットの版図化は彼自身が熱心なチベット仏教の信者であったことに加え、行き掛けの駄賃に近いものだった。

◎多数派となった漢民族の驕り

新疆ウイグル自治区とチベット自治区は共通の課題を抱えている。一九八〇年代以降、漢民族の移住が奨励された結果、漢民族の人口が過半数を占めるようになった上に経済をも牛耳り、先住民に漢民族への同化と脱宗教化を半強制している。そのことが強い反発を呼び、いつテロや大規模な抗議行動が起きてもおかしくない状況にあるのだ。

中国政府が新疆とチベットにこだわり、手放さない理由は、時代によって異なる。建国当初は大国としての面子に終始していたが、豊富な地下資源が確認されてからは無尽蔵のフロンティアとして見直され、アメリカによる西部開拓とよく似た状況が生じた。

もはやイデオロギーは関係なく、そこで展開されているのは**多数派による少数派の抑圧**に他ならず、チベット仏教とイスラームは危機的状態に置かれており、ここからは宗教を否定する共産主義思想以上に、多数派である**漢民族の驕り**が垣間見える。

近年、迫害の対象は同じくイスラームを信奉する**回族**《かいぞく》にも及び始めているが、回族とは唐代以来の西域出身者の末裔たちで、顔立ちはアラブ系やイラン系に近い者もいれば、漢民族と見分けのつかない者もいて統一感はない。元の時代以来、全国各地にちらばり、それぞれに集住するようになったことから、居住範囲は広くて人口も多い。近年は湾岸産油国の支援でアラビア語の学習をはじめ、イスラームへの回帰が顕著になっている。彼らが一丸となって反政府活動に走り始めたら、中国政府にとってウイグル問題以上の悩みの種となるに違いない。

スペインとイギリス、太陽の沈まない二つの帝国

◎覇権国家としてのイギリスの矜持

　オーストラリアの首相が、モンゴルを訪問するとなったとき、モンゴル政府はハタと困った。オーストラリアには大統領がいないのだから、首相が国家元首なのか。国家元首なら国賓として迎えなければならない。悩んでいても仕方がないので、外務省を通じて公式に問い合わせたところ、返ってきた返事は、「国家元首はエリザベス2世」というもの。それを聞いたモンゴル側では通常の来賓として迎えることに決めた。

　これは笑い話ではなく、二十世紀末にあった実話である。オーストラリアだけでなく、カナダやニュージーランドなど旧イギリス植民地の十数カ国はいまだイギリス連邦王国という国家連合の加盟国で、**エリザベス2世を共通の国家元首**として仰いでいる。

　また独自の国家元首を立てながら、英連邦という枠組みに留まっている旧植民地も含めると、その数は五十カ国以上にのぼる。

　さすがイギリスは「**太陽の沈まない帝国**」と呼ばれた国である。その広大さからすれば、英語が世界でもっとも広く通用する言語になれたのももっともなことで、イギリスが覇権国家の

位置から転落しても、アメリカが後を継いだことから英語の価値はさらに高まることとなった。

イギリスから独立して、なお英語を公用語としている国は、イギリスからの移民が大半を占めるか、多民族国家かのどちらかで、オーストラリアやニュージーランド、カナダなどは前者にあたる。

対して後者にあたるのが南アフリカ共和国やナイジェリア、南米のガイアナなどで、アフリカ大陸以外で黒人奴隷の子孫が大半を占めるところもある。

植民地を繁栄の源泉とした関係上、十九世紀のイギリスはヨーロッパ大陸の問題に干渉することを極力避け、植民地経営とその防衛に力を傾けた。それが可能だったのは現地勢力が結束力に欠け、反乱が起きても出先の武力だけで容易に鎮圧できたことに加え、他の列強の軍事力と経済力がイギリスに遠く及ばなかったからだった。

けれども、東進を続けたロシアがとうとう極東の沿岸部に達し、ビスマルク引退後のドイツが急速な軍拡論戦を歩み出すに及んでは状況が変わり、イギリスは東アジアとヨーロッパのそれぞれに同盟国を設ける必要に迫られた。

かくして結ばれたのが一九〇二年の**日英同盟**、一九〇四年の英仏協商であり、日露戦争で日本が勝利すると、一九〇七年には改めて英露協商を結び、**英仏露の三国協商**で覇権国家としての地位を保とうと図った。結果としては、ほんのわずかな延命策にすぎなかった。

◎無敵艦隊が敗れ衰退したスペイン

イギリスより一足早く、「太陽の沈まない帝国」が存在した。

ハプスブルク家が君臨したスペインがそれで、同家がオーストリア系とスペイン系に分かれてからも、後者はラテンアメリカの大半とフィリピンを植民地、ヨーロッパでも現在のベネルクス三国に相当するネーデルラントとイタリア半島南部、シチリア島、サルデーニャ島を支配下に置いていた。

分家後の最初のスペイン王**フェリペ2世**（在位一五五六～一五九八年）が、一五八〇年にポルトガル王をも兼ねたことから、「太陽の沈まない帝国」はさらに拡大したが、それだけ広大な範囲を防衛し続けるのは大変なことで、フェリペ2世が即位した時点ですでに、父カルロス1世の残した莫大な借金をどう処理すべきかが深刻な問題と化し、即位した翌年には早くも最初の**破産宣告**（国庫支払い停止宣言）をせねばならなかった。

フェリペ2世の在位中に破産宣告をすること四回。「**黄金の世紀**」と称されるスペインの最盛期に相応しくない内情である。税制改革をはじめ、あらゆる策を駆使した結果、彼の在位中に税収を三倍前後にまで増やすことに成功したが、それでも追い付かないほど軍事費の負担は増え続けた。

スペインにとって最大の負担となったのは、一五六八年に始まるネーデルラントの武装蜂起で、のちに八十年戦争と命名されるそれは、事実上の**オランダ独立戦争**だった。

事の起こりはカトリックの守護者を自認するフェリペが、プロテスタントが多数を占めるネーデルラントで、**異端審問**を強化したことにある。特派されたアルバ公が宗派を問わず、貴族というだけで血の大粛清を開始したことから、カトリック貴族をも敵にまわし、事態をさらに悪化させた。

もう一つの大きな負担は**大西洋航路の防衛**だった。いくら物産豊富な植民地を有していても、そこから収奪した物資が本国に届かなければ意味をなさない。海軍力でも世界一を自負するスペインだったが、ラテンアメリカとカリブ海地域すべての港、すべての輸送船を守り切るのはいくら何でも無理な話で、イギリスを後ろ盾とする海賊たちから、かっこうの餌食とされていた。俗に言う「**カリブの海賊**」である。

なかでも、もっとも有名なのはフランシスコ・ドレイクで、カリブ海での海賊行為に加え、一五八七年にはスペイン海軍の本拠地であるカディス湾を襲撃。その翌年には**無敵艦隊撃破**にも大きく貢献して、エリザベス1世からナイトの称号を贈られるほどだった。

こうして見ると、「太陽の沈まない帝国」としてのスペインは、張子の虎に近かったことがわかる。身の丈を越えた版図は災いの元にしかならない。それはスペインもイギリスも同じで、だからこそ第二次世界大戦以降の覇権争いは、植民地化とは別のやり方で行なわれるようになったのだった。

【第二次世界大戦後の独立運動とパレスチナ問題】

◎民族問題の種を撒いた帝国主義

冷戦終結後の一九九〇年代は、世界各地で**地域紛争が頻発**し、組織的な大虐殺が行なわれたところも少なくない。

その多くは**民族や宗教・宗派の違い**によるものだが、それだけで争いが起きるはずもなく、その遠因は**列強による植民地政策**や、西欧が生み出し拡散もさせた**近代ナショナリズム**に求められる。

アフリカのルワンダを例に挙げれば、フツ族とツチ族の二大民族は何ら違いを意識することなく共存の歴史を歩んできた。だが、第一次世界大戦後にドイツの保護領からベルギーの委任統治領に変わった際、民族名を明記した身分証明書の携帯が義務づけられたことをきっかけに違いが意識され、一九六二年の独立以前から民族間抗争が繰り返されるようなった。

帝国主義政策を執る列強では、現地勢力が一致団結するのを防ぐため、**分断統治**を実施するのは倣いになっていたが、**植民地統治**で、これほど罪作りな行為はなかった。

インドとパキスタンが別個の国として独立し、今なお紛争が絶えないのもイギリスが撒いた種が一因で、シク教徒と歴代政権との関係についても同じことが言える。

第二次世界大戦後に、アジア・アフリカ諸国の独立が続出した理由としては、列強各国が終**戦後の独立を交換条件**にして、戦争協力を要請したことにある。

東南アジアに関しては、それに加えて日本軍の進駐により、西欧列強の軍が一時的に消滅したことが挙げられる。インドネシアでもベトナムでも、その間に**民族主義勢力**が力を蓄え、大戦終了後に列強の軍が戻ってきても、撃破できるまでに成長を遂げていた。

また、イギリスを始めとする西欧列強がアジアの植民地を失えば、そこに至る交通路の確保も無用となり、採算の合わない地域にこだわる必要も消滅した。

かくして一九六〇年にはアフリカだけで十七の独立国が生まれ、その年は「**アフリカの年**」と称されることとなった。

◎イギリスの二枚舌外交がもたらしたパレスチナ問題

旧オスマン帝国のアジア領は、フランスが現在のシリアとレバノン、イギリスがイラク、ヨルダン、イスラエル、パレスチナ自治区を委任統治下に置いていたが、第二次世界大戦後のフランスは、負担の重さを考慮して早々に独立承認に傾いた。

ただし、十字軍運動以来、親欧姿勢を取り続けるキリスト教マロン派への配慮から、彼らが少数派となるのを避けようと、レバノンをシリアから切り離して独立させることにした。

イギリスは、第一次世界大戦中に交わしたフサイン・マクマホン協定を履行できなかった後ろめたさから、元メッカ太守フサインの次男アウドゥッラーをヨルダン、三男ファイサルをイラクの国王として独立させるつもりでいたが、パレスチナ地方についてはどうしたものか頭を悩ませていた。ユダヤ人国家の建設を支援すると約束していたが、多数派を占めるアラブ人の了解が得られるとは思えなかったからだ。

ユダヤとアラブ人の間の衝突や、ユダヤ人過激派によるテロ活動が活発化するなか、イギリスを決断させたのは一九四六年七月に起きたキング・デーヴィッド・ホテル爆破事件だった。委任統治政庁やイギリス軍司令部も入るホテルで、死者九十一人を出す大惨事が起きたことで、イギリスはパレスチナ問題を、創設まもない国際連合（国連）に丸投げすることにした。

一九四七年十一月二十九日、アメリカのトルーマン大統領の強力な多数派工作のもと採択された決議案は、パレスチナをアラブ国家とユダヤ国家及び国連管理下の国際都市エルサレムに分割するというもので、ユダヤ国家に全土の五一パーセントを割り当てるとしていた。

パレスチナ在住のアラブ人と、周辺アラブ国家はこぞってこの分割決議案に反発した。ユダヤ人口が総人口の三分の一にすぎない上に過半数が違法移民だったからだ。それでもユダヤ人がイスラエルの建国を強行したことから起きたのが、一九四八年の第一次中東戦争だった。

中東戦争の名で呼ばれる武力衝突は全部で四回を数え、その間にイスラエルはガザ地区やヨルダン川西岸、エルサレム全域に加え、シリア領のゴラン高原をも実効支配化に置くかたわら、ディルヤシンという村で無差別の虐殺を実行。みずから宣伝をしてまわった。

これにより、多数のパレスチナ在住アラブ人が国内外で難民と化し、国外へ避難した難民だけでも八十万人近くを数え、次世代以降も含めれば、その人数は五百万人以上に及んだまま現在に至っている。

国内に留まったアラブ人も無事とはいかず、何ら法的根拠のない**強制立ち退き**が繰り返された。そのかたわらで、パレスチナ自治区内への**ユダヤ人の入植**も進められていることから、よい土地は次々と奪われ、アラブ人は二級市民に甘んじるしかない状態に置かれている。

アメリカではトランプが大統領になって、在イスラエルのアメリカ大使館をテルアビブからエルサレムへ移転した。

ゴラン高原併合と、ヨルダン川西岸地区への新たなユダヤ人入植地建設の容認など、国連決議に反する行為が露骨に進められていることから、アラブ世界全体で従来以上に反米感情が高まっている。

歴史上の日本では

◎鎖国下の日本で開かれていた「四つの玄関」

豊臣秀吉《とよとみひでよし》の朝鮮出兵は、東アジア全体に激震を走らせた。

江戸幕府を開いた徳川家康《とくがわいえやす》は、その後始末に追われたが、面子の点からも朝鮮より先に国書を送るわけにはいかない。朝鮮王朝の側にしても事情は同じだった。

そこで一計を案じたのが、交易なしには財政が成り立たない対馬《つしま》の宗《そう》氏で、宗氏は**国書の偽造と改竄《かいざん》**を重ねることで関係の正常化にこぎつける。

ただし、朝鮮側の警戒心はそうやすやすとは解かれず、商人はおろか公式の使節でさえも上陸と滞在を許されたのは釜山《プサン》に限られた。

次にキリシタンと宣教師、南蛮諸国との関係では、家康はオランダ人のヤン・ヨーステンやイギリス人のウィリアム・アダムスを外交・貿易顧問としていた関係から、当初は秀吉のような厳しい態度を取らずにいた。

だが、慶長《けいちょう》十七年（一六一二）に、側近である本多正純《ほんだまさずみ》の家臣岡本大八《おかもとだいはち》と肥前のキリシタン大名有馬晴信《ありまはるのぶ》との間の贈収賄事件が発覚すると、双方ともキリシタンであったことから、身分に関係なく、**キリシタンの禁圧**へと傾いた。

二代将軍秀忠《ひでただ》、三代将軍家光《いえみつ》と代を重ねるごとに禁制は厳しさを増し、キリシタンには棄教か国外追放の二者択一が迫られた。一方で南蛮諸国への規制も強化され、イギリス船に続いてポルトガル船の入港も禁止されたあげく、寛永《かんえい》十八年（一六四一年）には出入りを許されるのは南蛮諸国ではオランダのみとなり、寄港地と居留地も長崎の出島《でじま》に限られることとなった。

それ以前に日本人の海外渡航も禁止されていたから、ここにいわゆる**鎖国体制が完成**したのだった。ちなみにこれと前後して、朝鮮王朝と大清帝国でも海禁という同様の政策が採られていた。

徳川政権下の対外窓口は、オランダと清が商館を構える出島、朝鮮交易を独占する対馬藩、蝦夷《えぞ》地（現在の北海道）の松前《まつまえ》藩、薩摩《さつま》藩が実効支配下に置く琉球《りゅうきゅう》（現在の沖縄県）に限られたが、琉球は清とも使節のやり取りを続け、暦も大清帝国のものを使用するなど、両属関係を続けていた。

薩摩藩は、それを承知していた。清との直接貿易は幕府の禁に触れるが、琉球との貿易であれば違法ではなく、国内取り引きという扱いだったからである。この事実上の密貿易は薩摩藩が幕末の雄藩に躍り出る上で貴重な資金源となった。

一方、蝦夷地では先住民のアイヌに移動の自由が認められていたことから、彼らを通じた樺《から》太《ふと》（サハリン）経由の対外交易も行なわせていた。

このような体制では、国際情勢に疎《うと》くなることは避けられず、幕府もそこには神経を配り、オランダ商館長に対して、海外情勢をまとめた『**和蘭風説書**《オランダふうせつがき》』という報告書を定期的に提出するよう義務付けていた。

『和蘭風説書』には、ヨーロッパだけでなく、アメリカやインド、中国などの情勢も詳しく記されており、幕府や諸大名はこれを通じて海外事情に接することができたが、異国の地を踏むことなく、地球の広さを実感できないまま、文字情報だけに頼るのではやはり理解するにも限界があった。

ヨーロッパの科学技術や兵器がどれだけ発達したか。文字情報だけでそれを理解した者は非常に少なく、日本全体で危機感が共有されるには、実際に最新の南蛮船が日本近海に姿を現わし、その威容を見せつけられるまで待たねばならなかった。

◎明治日本の国策を導いた北進論

討幕派と親幕派の戊辰《ぼしん》戦争を経て、明治政府の体制が固まると、次の目標は不平等条約の改正で、そのためには国内のさまざまな改革に加え、日本が東アジアの強国で、列強に引けを取らない存在であると証明する必要があった。そのために必要だったのは植民地の獲得で、政府の中枢では北進論と南進論の二つが模索された。

南進論は琉球から台湾、そこから東南アジアや南洋の島々を目指すというもので、北進論は朝鮮半島から清の発祥の地である満州、シベリア北東部を目指すというものである。

どちらを選ぶにしろ清との対決は避けられず、それを越えられたなら、南進論であればいずれ英仏蘭、北進論であればロシアとの対決が避けられなかった。

当初は日本・朝鮮・清が手を携え、ともに近代化に邁進する道も模索されたが、同調者がことごとく抹殺ないし失脚するに及んだことで、強硬手段に出るしかないとなり、まず標的としたのが李《り》氏の君臨する**朝鮮王朝**だった。

朝鮮を保護国とみなす清が、それを黙認するはずはなく、北洋大臣の李鴻章《りこうしょう》は若手の有望株である袁世凱《えんせいがい》に軍を託し、朝鮮へと派遣した。

中国では、二隻の大型戦艦を新造するなど、軍事部門に限ればそれなりの近代化を遂げていただけに、日本側も明確な勝算があったわけではないが、**日清戦争**（一八九四～一八九五年）は日本軍の圧勝に終わり、日本は多額の賠償金に加え、台湾を獲得することができた。

日清間の条約には、遼東《りょうとう》半島の割譲も含まれていたが、ロシア・ドイツ・フランスの干渉により、返還をせざるをえなかった。

このときの口惜しさと、朝鮮が新たにロシアを保護者とするようになったことも加わって、日本全土で**臥薪嘗胆**《がしんしょうたん》の空気が漲《みなぎ》り、その間に**義和団事変**《ぎわだん》を挟みながら、遼東半島と満州を舞台とする**日露戦争**（一九〇四～一九〇五年）を迎える。

多大な犠牲を払いながら、辛くも勝利した日本は、ロシアが満州で得ていた利権を引き継いだうえ、一八九七年に国号を大韓帝国《だいかんていこく》と改めていた朝鮮への圧力を強め、一九一〇年にはこれを併合。日本としては台湾に続き、**二つ目の植民地**となった。

これ以降、南進論は忘れ去られ、日本の矛先はもっぱら満州と中国本土へと向けられた。

◎米英蘭の経済制裁を受け浮上した南進論

一九三二年には清のラスト・エンペラー溥儀《ふぎ》を担ぎ出して、**満州国**という傀儡国家を建設。緩衝地帯を設けるために始めた中国本土への侵攻が河北《かほく》の実効支配へと転じた。そのあげく一九三七年七月七日の**盧溝橋《ろこうきょう》事件**と翌月の**第二次上海《シャンハイ》事変**をきっかけに蒋介石《しょうかいせき》を首班とする**中華民国国民政府との全面戦争**（日中戦争）に突入する。

中国に多大な利権を持つイギリスと、中国市場を日本に独占されることを嫌うアメリカは、インドネシアを植民地とするオランダにも働きかけ、中華民国政府を支援するとともに日本に対して**ABCD包囲網**の経済制裁を加えた。

アメリカからの、満州はともかく万里長城以南からは完全撤退せよとの通告があり、これに従っていれば**日米交渉の決裂**は避けられたが、**日独伊三国同盟**の縛りもあり、それまでに流した血の多さと莫大な軍事費及び労力を考えれば受け入れることはできなかった。

かくして一九四一年十二月八日、日本軍がハワイの真珠湾を奇襲攻撃したことにより、**太平洋戦争**の幕が開かれた。

石油を確保するためにインドネシア、錫《すず》やタングステンなどを確保するためマレー半島を制圧したのはまだしも、**大東亜共栄圏**のスローガンを掲げながら、アメリカを和平のテーブルに着かせるには大打撃を与えるしかないとして、南はニューギニア、また中華民国政府への戦略物資輸送ルートの援蒋《えんしょう》ルートを断つべく、西はビルマ（現在のミャンマー）にまで戦線を拡大させたのはさすがに無謀で、いたずらに人的損害を増やすだけとなった。

この戦争の特異な点は民間人の死者の多さで、地上戦が行なわれた沖縄はもちろん、終戦前後には事実上の植民地であった満州で惨劇が繰り広げられた。

一九四五年八月九日、ソ連軍が満州国との国境線を越えた時点で、満州在住日本人は民間人だけで約百五十万人を数え、その逃避行は悲惨を極めた。

彼らを守るはずの関東軍兵士は約五十万人いたが、抗戦をしたのはそのなかの一部にすぎず、残りはすべて鴨緑江《おうりょくこう》を背にした新たな防衛線まで撤退を始めていた。

満州国の首都であった新京《しんきょう》（現在の吉林《きつりん》省長春《ちょうしゅん》市）から平壌《ピョンヤン》への避難列車十八本に乗れたのは新京在住日本人約十四万人のうち約三万八千人で、その内訳は軍関係の家族二万三百十余人、大使館など官吏関係の家族七百五十人、満鉄関係の家族一万六千七百人からなり、運よく乗車できた一般市民は全体からすれば一握りにすぎなかった。

第4章

「宗教観」を世界に広める使命感

世界の今を考える

◎底知れないアメリカのユダヤ・パワー

宗教を否定する共産主義陣営が崩壊したことをきっかけとして、再び宗教の持つ役割と力に関心が向けられつつある。

そんななか、多くの日本人が先進国のなかで唯一、**アメリカが宗教国家**と呼べる存在であることに今さらながら気づかされ、驚きを禁じえなかったに違いない。だが、アメリカ建国の歴史を鑑みれば、アメリカが宗教国家であるのは自然なことでもあった。

無用な対立や差別を避けるためか、アメリカでは宗教や宗派別の人口統計が公的機関によって行なわれることはなく、民間の調査会社や各教会の自己申告から数字を割り出すしかない。

それによると総人口に占めるユダヤ人の割合は二パーセントと少数派でありながら、あらゆる選挙結果を左右する存在と化している。

その理由は他の宗教や民族に比べて抜群に投票率が高いことに加え、反ユダヤ・反イスラエル傾向があると判断した候補者を落選させるために金銭に糸目をつけず、該当候補へのネガティブ・キャンペーンや対立候補への支援を行なっていることに求められ、**パレスチナ問題**に関して本音を口にする議員は、引退を決めている者に限られるという弊害が生じている。

そのため「アメリカの外交政策はテルアビブで決められる」などと陰口を叩かれるのだが、まんざら的外れではない。パレスチナ問題に対する姿勢は、公平中立と呼べるものとはほど遠く、トランプ政権になってからはなりふり構わなくなってきている。

アメリカがイスラーム過激派から目の敵にされるのは、**親イスラエルの外交姿勢**に加え、湾岸危機に際して二大聖地を有するサウジアラビアに駐留したこと、イラクやアフガニスタンに駐留するアメリカ軍兵士の現地社会・文化に対する無知や傲慢さなども関係しており、さらにはアメリカをもってキリスト教世界の代表扱いされている点も無視できない。

◎対立するスンニ派とシーア派の国

対するイスラーム世界も一枚岩ではなく、親米路線を歩む国もあれば反米を貫く国もあり、アルコールが飲めて女性の服装にもうるさくない世俗化の進んだ国もあれば、戒律の厳しい国もあり、王制の国もあれば共和制の国もある。

宗派の点では**スンニ派とシーア派**の区分があり、前者が多数派、後者が少数派となるが、イランとイラク、レバノン、バーレーンに限ればシーア派人口のほうが多いため、必ずしもスンニ派が優位とも言えない。

両派の違いを突き詰めていくと、預言者ムハンマドの後継者として誰を認めるかという一点に尽き、学校の教科書で馴染みの正統カリフ時代、ウマイヤ朝、アッバース朝という流れはスンニ派の歴史観に従ったもので、シーア派ではムハンマドの直接の後継者はスンニ派で第四代正統カリフとされているアリーで、アリーの直系子孫のみを正統とする。

一日に行なわなければならない礼拝の回数や、モスクでの礼拝開始にあたって読み上げられる指導者の名、第二の聖典であるハディースにイマーム（シーア派の最高指導者）の言行を含めるかどうかなど、細かな点に違いはあれども、日々の信仰生活においてスンニ派とシーア派が反目する理由はこれと言ってなく、両派の抗争が起きるのは**政治権力を巡っての争い**に限定され、始終いがみ合っているわけではない。戦っている時間より平和共存している時間のほうがはるかに長いのが実情である。

その意味では、普通選挙は対立の要因となりやすい。候補者の主張に賛同するから一票を入れるという考えがいまだなく、同じ宗派の者に入れるか長老や家長の意向に従うのが一般的だからで、そこには秘密投票の利点が活かされない現実が大きく立ちはだかっている。

現に人口の過半数をシーア派が占めるイラクで普通選挙を実施したところ、シーア派政党が第一党となり、当初はスンニ派政党と連立を組んでいたが、ほどなく仲違いして、シーア派政党による数の暴力が横行するようになった。**サダム・フセイン政権**のもとでは抑圧されていただけにその反動も大きく、しばらくは対立解消の目途さえ立ちそうにない。

◎アメリカ社会を覆い尽くすカルト

アメリカには実に多くの**カルト教団**が存在する。

その理由は、プロテスタントの中でもイギリス本土に多い**改革派**（長老派）が、聖書のみを思想と行動の指針にしていること、ドイツ・北欧出身者に多い**ルター派**（ルーテル教会）が人間は善行や功徳ではなく個々の信仰によってのみ救われるという信仰義認《しんこうぎにん》の教え、すべての信者に福音《ふくいん》を伝える義務があるという万人祭司の教えを唱えるなど、誰でも教会の主催者になりうる制度そのものに起因している。

カトリックのような完全な縦社会では、序列や資格が明確に定められているが、プロテスタントでは広くても地域単位、極端な場合一つの教会でもって独自の教えを説いているから、**牧師や主催者の聖書解釈が普遍の真理**とされてしまう。

これではカトリックや東方正教会の目には逸脱としか映らないカルトが生まれるのも無理はなく、とりわけ行動半径が狭く情報過疎状態にも置かれている地方在住者は、かなりおかしな教えにも染まりやすい。終末が差し迫っていると説かれればなおさらである。

近代以降、ヨーロッパで脱宗教化が進むばかりであったのに対し、アメリカはその逆という傾向が続いてきたが、最新の調査によれば、アメリカでも宗教離れの傾向が若干表われ出した。ただし、アメリカでは半世紀ごとに宗教復興の動きが繰り返されているので、短期的な数字で結論を出すのは早計である。いつまた流れが変わってもおかしくはない。

◎太平洋を縦断するキリスト教の回廊

宗教離れが進んでいる地域でも、脅威とする相手に宗教色が濃い場合、便宜的に宗教のつながりが重んじられることがある。

オーストラリアがその例で、オーストラリアの北に展開するインドネシア領の島々は、バリ島とニューギニアを除けばイスラーム一色。それに潜在的な脅威を感じていたオーストラリアにとって、キリスト教徒が大半を占める東ティモールの独立は千載一遇のチャンスで、これといった産業のない同地へもっとも盛んに進出したのがオーストラリア資本だった。

白檀《びゃくだん》が採り尽くされた東ティモールに残されたのは、カトリックの信仰だけで、世界最多のムスリム人口を擁するインドネシアにとっては、それだけで迫害をするに十分な条件であったが、搾取するものが何もなければ完全なお荷物で、なかなか独立を認めなかったのはほとんど面子の問題だった。

オーストラリアにしてみれば、東ティモールの独立は渡りに船で、そこを保養地化することで優越感に浸れるうえに、オーストラリア〜東ティモール〜フィリピン〜台湾〜韓国と続く**キリスト教で結ばれた海の回廊**を構築できる。

それがあるとないとでは安心感に雲泥の差があり、インドネシアとイスラームに対して感じていた不安を多少なりとも和らげる効果が期待できた。

普段は教会に通うことも稀なオーストラリア人だが、安全保障に直結したことで、今さらながらキリスト教徒であることを思い知らされたのだった。

【オリエントとヨーロッパの古代信仰は衰え一神教が登場】

◎人類による環境破壊を是認した一神教

シリアとイラクでＩＳ（イスラミック・ステイト）が猛威を振るっていたとき、もっともひどい迫害を受けたマイノリティーとして、ヤジディ教徒という耳慣れない信者集団の名が連日のように報道された。

ヤジディ教とは、ゾロアスター教やその形成以前の古代イランの信仰を基本にしながら、ユダヤ教、キリスト教、イスラームなど一神教の要素も取り入れた混淆《こんこう》信仰で、現地調査が難しいため、これまで実情不明な謎多き宗教とも言われてきた。

ゾロアスター教がわずかに命脈を保つのみで、古代オリエントの信仰がのきなみ消滅したなか、ヤジディ教の命脈が保たれていたのは奇跡に近いが、そもそも古代オリエントのみならず、古代ヨーロッパの信仰までもが衰え、一神教一色に染め上げられたのはどうしてなのか。

古代ヨーロッパの信仰とは、ギリシア・ローマ神話の神々に加え、ケルト・ゲルマン両民族が信仰した自然神になるが、後者がキリスト教を国教としたローマ帝国の領域拡大とともに異教として葬り去られたのに対し、前者はキリスト教が普及するより前に形骸化が進み、帝国全体の求心力とはなりえなくなっていた。その理由は定かでないが、人びとの求めるところと合致しなくなっていたことだけは想像できる。

四世紀末にローマ帝国がキリスト教の国教化に踏み切った要因としては、伝統信仰の形骸化に加え、多民族国家へと変貌を遂げた帝国の新たな求心力を必要としたことが挙げられる。

エジプトのイシスやイランのミトラなど、東方伝来の信仰が流行するなか、なぜキリスト教が選ばれたのかは明らかでないが、キリスト教と他の信仰の違いをあえて挙げるなら供儀《くぎ》（供物）の有無であろうか。キリスト教だけが生きた動物を捧げる儀式がなく、闘技場での殺し合い観戦が下火になったのと時期を同じくして、人びとの嗜好《しこう》に変化が起きたとも考えられる。

キリスト教に代表される一神教では、唯一絶対の神が人間に地上の全権を託したと解釈されてきた歴史があり、自然との調和を重んじる伝統信仰とは対照的に、環境破壊を是認する負の要素も帯びていた。

◎マイノリティーでありながら経済を牛耳るゾロアスター教

伝統信仰が形骸化したのは、古代オリエントもいっしょで、エジプトではギリシア人によるプトレマイオス王朝、小アジアやシリアでも同じくギリシア人によるセレウコス朝統治下で同様の現象が見られ、パレスチナではヘブライ人＝古代イスラエル人（のちのユダヤ人）が土着の多神教に何度も揺さぶられながら一神教を確立させた。これがユダヤ教である。

有史以来の信仰がなぜ形骸化したのか。オリエントの場合も原因は不明だが、西方からじりじりとキリスト教の波が押し寄せ、シリアからアラビア半島北西部にかけて、ユダヤ人コミュニティーが点在するようになって、なお健在だったのはイランのゾロアスター教だけだった。

アラビア半島では伝統的な多神教が命脈を保っていたが、同半島発の一神教であるイスラームが政教未分離のまま社会や文化を巻き込みながら拡大するとともに、定住民も遊牧民も雪崩《なだれ》を打つかのように改宗して、アラビア半島全域が瞬く間にイスラーム一色に染め上げられた。

アラブ・イスラーム国家がシリア、イラン、エジプトに勢力を拡げるにともない、シリアとエジプトでは改宗者が続出したが、イランだけは住民の大半を改宗させるまでに数百年の歳月を要した。これはアラブ・イスラーム国家が、異教徒に対しジズヤ（人頭税）さえ支払えば生命・財産に加え信仰の自由を認め、異教徒の改宗に熱心でなかったことに拠っている。

現在のイランでは中央部の小都市ヤズドに、総数は三万人に満たないがゾロアスター教徒が集中している。遺体を風葬《ふうそう》する習慣は廃止されたようだが、それ以外の信仰は容認され、古代以来の聖なる火が今なお燃え続けている。

一方、迫害を恐れインドへと逃れたゾロアスター教徒は、グジャラート地方を経て現在ではムンバイに集住しており、**パールシー**と呼ばれている。商工業で成功を収めた者が多く、インド屈指の大財閥であるタタ財閥もパールシーによるものであるため、総人口の一パーセントにも満たない少数派でありながら、パールシーはインドの政財界で絶大な影響力を有している。

【二〇〇〇年以上続くユダヤ人受難の歴史】

◎救世主を殺害した「選ばれた民」

アメリカではトランプ政権成立直後から、ユダヤ人の墓地が荒らされる事件が頻発している。犯人は特定されていないが、ネオナチの親派か白人至上主義者の犯行である可能性が高い。

ユダヤ人の迫害といえば、ヨーロッパが本場だ。歴史的に大きく二つの波があり、最初の波は中世、二度目の波は近現代で、根は同じかもしれないが表向きの理由はそれぞれ異なり、中世の迫害では宗教的な要素が強調された。

ローマ帝国でキリスト教が国教化されたのは四世紀末のことだが、ヨーロッパ全域それも社会の底辺にまで浸透したのは十世紀頃だった。

当時は文字の読み書きができる人間は聖職者に限られたから、一般民衆は聖職者を通じてしか聖書の内容を知ることができなかった。

毎週日曜日、西欧であれば庶民には理解できないラテン語で、決まり文句が述べられたのち、現地語での説教が行なわれたが、わかりやすさが第一となれば、ユダヤ人は神に選ばれた民でありながら、期待に背いた失格者であると同時に、救世主であるイエスを殺した許しがたい民と受け取られる恐れが十分にあった。

古代イスラエル人の祖とされるアブラハム以来、ユダヤ人は何度も**神から「選ばれた民」**であると念押しされていた。それにもかかわらず、彼らは一番大事なときにイエスを救世主と認めないどころか偽預言者と決めつけ、挙句の果て磔《はりつけ》に処してしまった。これを神に対する裏切り、背信と言わず何と言おうという通念が、中世西欧の民衆のあいだでは浸透していた。

だが教会では、イエスの死は予定されていたもので、それによって人類の始祖であるアダムとエバがエデンの園で犯して以来すべての罪が帳消しにされたとの解釈を示していたのだから、イエスの死に関する責任追及をすること自体がおかしな話だった。

とはいえ、一度暴走を始めた群衆を止めるのは不可能に近く、十字軍運動が始まった当初には西欧の多くの都市で、出陣にあたっての血祭りとしてユダヤ人の虐殺が行なわれた。少なからざる聖職者が制止を試みたが、いずれも焼け石に水であった。

歴代教皇のなかにも、自分が皇帝や国王より上に位置する存在であることを誇示するため、もしくは信者たちの支持を取り付けようとの魂胆からか、ユダヤ人を対象とした露骨な差別立法を行なう者もいるなど、ユダヤ人にしてみれば中世は真に暗黒の時代に違いなかった。

◎ヒトラーに敵視されたユダヤ人

反ユダヤ主義の第二の波は、皮肉にも近代科学と近代ナショナリズムの黎明《れいめい》とともに始まった。「国民」や「民族国家」という新しい概念を普及させるには、排斥対象を設けるのが手っ取り早く、どこに行っても少数派で、特異な伝統を頑なに守り、それでいて経済的成功を収める者の多いユダヤ人はかっこうの餌食だった。

近代科学は、いまだ疑似科学や似非《えせ》科学と区別がつかず、有色人種とゲルマン以外の白人を劣等人種と決めつける人種主義も拡散して、主にユダヤ人を対象としたものは言語学上の分類と絡めて**反セム主義**とも呼ばれた。

ユダヤ人が身の安全を確保するにはキリスト教に改宗するか、金銭に物を言わせて特定の権力者の庇護下に入るのが早道であったが、権力者や陰謀家にとってはユダヤ人ほどスケープゴートとして最適な存在はなかった。

帝政ロシアでは本来宮廷に向けられるはずの不満を反らすために、ユダヤ人を最大限に利用した。ついには**『シオンの議定書』**という、ユダヤ人が世界征服を企んでいる決定的な証拠とされる偽書まで作らせてしまった。

第一次世界大戦に敗れたドイツでも、軍の高官たちが責任転嫁をするためユダヤ人を活用した。勝って当然の戦いであったのに、裏切り者がいたせいで敗北したとする言い訳で、「**背後の匕首**《あいくち》」と命名された。

オーストリア出身のアドルフ・ヒトラーが、いついかなることがきっかけで**反ユダヤ主義**を抱くに至ったかは、いまだ解明されていないが、彼が生まれ育った当時のオーストリアでも反ユダヤ主義は蔓延していたから、何らかの挫折を味わったヒトラーが、偏《かたよ》った思想に傾くのはさして不思議ではなかった。

ともあれ、そのヒトラーが**ホロコースト**という人類史上で例のない大虐殺を命じたことは間違いなく、賛同者や実行に手を染めた者はもちろん、知りながら沈黙を通した者も連帯責任を免れない。

ナチス・ドイツの同盟国であったムッソリーニ支配下のイタリアでも、ホロコーストは実行されていたから、ローマ教皇が知らないはずはなかった。

その責任について、バチカン市国は長らく沈黙を通していたが、ポーランド人として初めて教皇となったヨハネ・パウロ2世（在任一九七八〜二〇〇五年）が、二〇〇〇年の大聖年を前にして行なった「神に赦しを請う旅」のなかで、イエスを殺したのはユダヤ人とする解釈が反ユダヤ的な誤った内容であり、一部キリスト教徒による反ユダヤ主義的な思想がホロコーストにつながったこと、ホロコーストに対してキリスト教徒が十分な抵抗をしなかったことなども指摘し、教皇として初めて謝罪をしたのは実に画期的なことであった。

ただし、この謝罪は被害者やその遺族に対してではなく、神に対してのものであったが。

【非暴力を謳う福音書に矛盾した十字軍による聖戦】

◎聖戦という概念がなかったキリスト教

先にヨハネ・パウロ2世が神に赦しを請う旅について言及したが、彼が過ちと認めたもののなかには**十字軍**も含まれていた。

広い意味での十字軍には、イベリア半島でのレコンキスタやドイツの東方植民、南仏のアルビジョワ派に代表される異端の討滅、オスマン帝国との戦いなども含まれるが、一般的には十一世紀から十三世紀まで続けられた**聖地エルサレムの奪回と防衛**を目的とした一連の遠征を指すことが多い。

この狭い意味での十字軍は、ルーム・セルジューク朝の攻勢に耐えかねたビザンツ皇帝が教皇に援軍を要請したのに対し、ときの教皇ウルバヌス2世（在位一〇八八～一〇九九年）が分裂状態にあった東西教会の統合を睨みながら応え、聖戦の名のもとに派兵を行なったことに始まる。

けれども、キリスト教には元来、**聖戦**という概念は存在しない。

『旧約聖書』には、神の意志に基づく戦争を聖戦とする思想が散見されるが、預言者がもはや現われることのない時代に、神の意志を伝えられる者は存在せず、ゆえに聖戦もありえないはずであった。

イエスもそれを承知していたからこそ、有名な「山上《さんじょう》の垂訓《すいくん》」において、「悪い者に歯向かってはいけません。あなたの右の頬を打つような者には、左の頬も向けなさい」と語り、ゲッセマネの園でイエスを捕縛しようとしたユダヤ教指導者の配下に、刃物を振るって抵抗するペテロに対し、「剣をもとに収めなさい。剣を取る者は剣で滅びます」と言って、武器を収めさせたのだった。イエスの教えは**非暴力主義**で貫かれていたのである。

初期の教団もイエスの意志を受け継ぎ、どれだけ迫害を被ろうとも反乱を起こすどころか一切抵抗を見せず、粛々と刑に服した。

だからこそ多くの殉教者が生まれたわけだが、三一三年の**ミラノ勅令**で信仰の自由が認められた途端、教団指導者たちの姿勢が激変する。三一四年に開催された公会議ではなんと、軍務を放棄した兵士は破門にするとの決議がなされたのである。

当時のキリスト教徒の数は、帝国人口の一割にも満たず、信者を増やすには皇帝権力を利用するのが得策との判断が働いたのかもしれないが、初期キリスト教の根幹でもあった無抵抗・非暴力の絶対平和主義が脇へ追いやられたことで、その後のキリスト教はイエスの教えとはどんどんかけ離れたものへと変質していった。

ユダヤ教にはあってもキリスト教にはなかった聖戦という言葉が、いつ頃から使用され始めたのかは定かでないが、司教の叙任権を巡って神聖ローマ帝国皇帝と争った「カノッサの屈辱」で知られる教皇グレゴリウス7世（在位一〇七三〜一〇八五年）や、十字軍運動の発起人であるウルバヌス2世の時代が大きな分水嶺であったことは間違いない。

◎現代にまで禍根を遺す十字軍運動

十字軍運動の開始以前、西欧の人びとは外の世界に対して無知だった。カトリックこそ唯一絶対の教えと信じてやまない彼らの目には、イスラームやユダヤ教はもちろん、ビザンツ帝国の国教である東方正教会や三位一体説《さんみいったいせつ》を採らないネストリウス派やアルメニア教会までもが異端としか映らず、それらすべてが蔑視《べっし》の対象、略奪や殺害の対象として構わない相手であった。

そのため第一次十字軍が、**エルサレムを攻略**したときには、ムスリムだけでなくユダヤ人やカトリックではないキリスト教徒も殺害され、城内は屍《しかばね》の山と血の海と化した。

外の事情が明らかになるにともない、西欧側知識人の間では科学技術の先進地域であった東方に学ぶ機運が盛り上がるが、教皇や王侯貴族の思考にはあまり変化がなく、交渉によりエルサレムの回復に成功したシチリア育ちの神聖ローマ帝国皇帝フリードリヒ2世（在位一二二〇〜一二五〇年）は教皇から称賛されるどころか、逆に破門される有様だった。

第一次十字軍以来、シリア・パレスチナには複数の十字軍国家が築かれたが、それはイスラーム側が分裂して中小勢力ばかりになっていたからで、巨大勢力が現われれば形勢が逆転するのは目に見えていた。

エジプトに都を置いたアイユーブ朝と、それに続くマムルーク朝がまさにそれで、一一八七年のエルサレム陥落、一二六八年のアンティオキア公国の滅亡に続いて、一二九一年のアッコー陥落がとどめとなり、狭い意味での十字軍運動は終焉を迎えた。

エルサレムは、交易のルートから外れており、生活用水の確保も一万人分が限度である。戦略上の価値が皆無なそこが激しい争奪の対象とされたのは、ユダヤ教とキリスト教、イスラームの三大宗教から聖地と目されていたからで、宗教的価値しかない町がこれほど激しい争奪の対象となったことは、人類の歴史上で他に例を見ないのではなかろうか。

ヨハネ・パウロ2世の跡を継いだベネディクト16世は就任早々、ビザンツ皇帝の言葉を引用した演説が誤解を招き、イスラーム世界全体から猛反発を食った。

だが、二〇〇六年十一月三十日、トルコのイスタンブールを訪れ、ビザンツ帝国時代には大聖堂であったアヤソフィアとブルーモスクを訪れ、イスラーム式の仕草を取ったことで、トルコ国内に満ちていた敵愾心を一気に和らげることに成功した。

聖と俗の違いはあれども、首脳外交がどうあるべきか、図らずも模範を示す格好となった。

「ジハード」を掲げるイスラームとその資格者

◎聖戦かどうかを決めるのは個人の主観

奴隷制やカリフ制の復活を宣言したIS、アフガニスタンで命脈を保つタリバンやアル・カイダの後継組織など、「**ジハード**（聖戦）」を掲げるイスラーム過激派や武装勢力は世界中に数多く存在する。

いったいジハードとそれ以外の戦闘ではどこにどんな違いがあるのか。歴史を遡れば、イスラームの創始者である預言者ムハンマドがジハードと認定したものがそうで、彼の主観が唯一絶対の判断基準だった。

ムハンマド亡き後、スンニ派ではカリフ、シーア派ではイマームの称号で呼ばれる者がその役目を継承したが、イスラーム国家が分裂していく過程で、どちらの称号も途絶えてしまった。その状況下で重要な役割を果たしたのは**ウラマー**と呼ばれるイスラーム諸学を修めた知識人たちで、日本語では**法学者**とも訳される。

スンニ派の場合、法解釈の源とされているのは第一の聖典である『**クルアーン**（コーラン）』と第二の聖典ハディース（ムハンマドの言行録）、イジュマー（共同体の合意）、キヤース（類推による判断抽出）の四つで、これらをもとにファトワー（権威ある裁定）を下せる有資格者は**ムフティー**と呼ばれた。

ムフティーにもランク分けがあり、国家から任命され国事についての宗教的見解を明らかにすることのできる大ムフティーと、公権力に任命されてはいるが民事・刑事レベルの職務を果たすのみのムフティー、地域共同体が運営するモスクや宗教団体において指名されているムフティーの三段階に分かれていた。

対外ジハードの宣言レベルは、大ムフティーの役目であり、オスマン帝国ではそのためにシェイヒュル・イスラームという中央官職まで設けていた。

一方、シーア派のなかでも最大多数を占める**十二イマーム派**、それも現在のイランとイラクに限れば、法裁定の担い手は最高位のウラマーである**アーヤトッラー**の称号を帯びた人びとで、そのなかでもさらに頂点に立つ者は大アーヤトッラーまたはマルジャア・アッタクリードと呼ばれた。

近代以降はマルジャア・アッタクリードが複数いる状況も容認されたが、イランがまだ王制下にあった一九六〇年時点には、ボルージェルディーという長老が単一のマルジャア・アッタクリードとしてあり、世俗主義者のパフラビー2世といえどもその意向を無視できず、一日も早く着手したかった農地改革の一時撤回を余儀なくされた。

当時はまだ格下のアーヤトッラーだった**ホメイニー**は、ボルージェルディーが政治への関与を極力控えていたことから活動を自粛していたが、一九六一年にボルージェルディーが亡くなるとともに、パフラビー2世が農地改革を柱とする急進的な**西欧的近代化政策（白色革命）**を推進し始めたのと機を同じくして政治的な発言を始め、反王政の姿勢を鮮明にした。

◎権限なき扇動家に操られるイスラーム過激派

国外追放処分となったホメイニーは、亡命生活を余儀なくされたが、マルジャア・アッタクリードに昇格していた。その間にカセットテープを通じて自分の主張を本国の支持者に伝え、ヴェラーヤテ・ファギーフ（法学者による統治）論をまとめ上げていた。

一九七九年に王制打倒に成功して帰国を果たしたホメイニーは、革命で共闘した他の諸勢力を排除して、**法学者による統治**を現実のものとした。ところが、一九八九年にホメイニーが死去すると、六人いたマルジャア・アッタクリード全員が法学者による統治に反対していたのだ。

憲法第一〇九条には最高指導者の条件にマルジャア・アッタクリードであることが明記されているためその条件を削除して、まだアーヤトッラーにもなっていない**ハーメネイー**を後継者に選出した。これによりホメイニーの目指した政教一致の統治は早くも綻びが生じた。

その影響は三十年の歳月を経た現在にも及んでいる。革命で打倒された王制が親米・親イスラエル政策をとり、アメリカによって支えられていたから、革命後のイランは反米・反イスラエル姿勢を踏襲しているのだが、ただでさえ核開発問題が進むなか、二〇二〇年一月にアメリカ軍がドローンを使って、イラン革命防衛隊のソレイマニ司令官を殺害した。

　イランはアメリカ軍が駐留するイラクの空軍基地など二拠点をミサイルで報復攻撃をし、世界はアメリカとイランの全面戦争からの第三次世界大戦の勃発も危惧した。だがイラン政府はアメリカが反撃をしなければ攻撃を継続しないとし、アメリカのトランプ大統領も攻撃の意志はないと表明したことで、当面の最悪事態からは脱した。だが、まだまだ予断は許さない。

　現在のイスラーム世界では伝統と現実とで大きな齟齬《そご》がある。冷戦終結後のイスラーム世界で「聖戦」を声高に叫んだ人物はその資格のない者ばかりだった。イラクの大統領だった**サダム・フセイン**は、アラブ・ナショナリズムと社会主義を掲げるバース党の党首であったから完全な世俗主義者で、イスラームに背を向けて生きてきたはずだ。それが追い詰められると、なりふり構わず「聖戦」を叫び、本来は重みのある言葉を安っぽく見られるようしてしまった。

　アル・カイダを創設した、**オサマ・ビン・ラディン**の経歴は不明な部分が多く、少なくともイスラームの高等教育機関で専門教育を受けた痕跡は見られない。よって彼には聖戦を命じる資格はなく、彼の命令で自爆テロや戦死を遂げた者も、天国に召されはしないことになる。

　タリバンの創始者**オマル**はさらに情報が少なく、マドラサで正規の教育を受け、人望もあったようだが、ムフティーどころかウラマーであったかどうかも定かでない。

　サウジアラビアやエジプトの大ムフティーが、自爆テロを殺人と自殺の二重の罪で否定したにもかかわらず、何ら資格のない者の命令のほうが効力を発揮しているのだ。

【キリスト教布教も目的だった　スペイン・ポルトガルの大航海時代】

◎イスラーム勢力を前に繰り広げたカトリックの覇権争い

われわれは知らないうちに、スペインとポルトガルが覇権国家であった痕跡と、毎日の食卓で接している。ジャガイモやサツマイモだけでなく、トマト、カボチャ、トウモロコシ、インゲンマメ、落花生《らっかせい》、トウガラシなどは、すべてアメリカ大陸原産の作物で、大航海時代以降に世界中に広まった食材だ。

西洋による**大航海時代**は、**香辛料を安価で安定的に確保**することが目的だったが、それがすべてではなく、政治的・宗教的な要素もあった。バルカン半島をじわじわと北上してくるオスマン帝国の脅威を除くための**同盟者探し**がそれである。

同盟者の名はプレスタージョン。誰が言い出したのかは不明ながら、東方の彼方にキリスト教徒の王を戴く王国があるとの伝承が西欧では広く信じられていた。

その正体は、キリスト教でも異端とされたネストリウス派を信奉したナイマン、ケレイトといった遊牧民族にあったようで、彼らはすでにモンゴルに併呑《へいどん》され、弱小勢力に落ちぶれていたから、いくら探せども見つけるのは容易でなく、見つけたとしても同盟相手にはなりえなかった。

不確かな伝説に頼らなければならないほど、西欧カトリック世界は強い危機感を抱いていた。フランスのヴァロワ家とオーストリアのハプスブルク家がカトリック世界の覇権を争うなか、東方から強大なイスラーム勢力が迫っていたのだから、ヨーロッパ全体の勢力図が大きく塗り替えられる恐れもあった。

少し先になるが、現実にフランス王フランソワ1世が敵の敵は味方の論理で、オスマン帝国と手を結んだ時期さえあった。

このままでは東方正教会だけではなく、カトリック世界までもがイスラーム勢力に呑み込まれかねない。その危機感が大航海時代の原動力になったことは否めず、経済的な理由だけでは、そこまで必死にはなれなかったはずである。

西欧カトリック世界では、十字軍という後ろめたい過去があるだけに、その報復を受けるのではないかとの自覚があった。自分たちがやったのと同じことをやり返されるならば、西欧の全都市が略奪と殺戮の災いに見舞われかねない。最悪の事態を回避するためにもオスマン帝国を挟撃してくれる同盟者が求められた。

西欧カトリック世界が一丸になれればまだしも、教皇権力の全盛期はとうに過ぎ、統合のシンボルとはなりえなかった。

オーストリアとフランスが、一時休戦して共闘する可能性も低く、個々がバラバラに対抗したのでは、とてもではないが勝てるとは思えない。カトリック世界を防衛するには東方に同盟者を見つけ、挟撃するしかないと思い詰めるほど、西欧全体が強い危機感に包まれていたのだ。

◎世界布教の裏で現地で摩擦が生じたイエズス会

オスマン帝国の脅威がなければ、ドイツ王位を事実上世襲していたハプスブルク家が、プロテスタントに走った諸侯らに譲歩することはなく、ドイツにおける宗教改革は挫折していたに違いない。そうなればスイスで始まった改革派もどうなっていたかわからず、イギリス国教会に至ってはなおさらである。

オスマン帝国の脅威があればこその**宗教改革**で、宗教改革が潰れていたならカトリック内部の改革も進まず、**イエズス会**の誕生もなかったかもしれない。

イエズス会が活動の柱にした海外伝道についても同じことが言える。すでに航路が開けて以降、アジアにやってきた西洋の船には、必ずイエズス会の宣教師が同乗していた。航海の安全を祈るとともに、**新天地での伝道・布教**を目的とした。

未知なる土地で布教をするのであれば、まずはその土地の言語の習得から始めねばならない。それから各土地の統治者に近づいて関心を引く。そのためイエズス会宣教師には何とか西洋文化に興味を持ってもらえるよう、化学から暦学、数学、測量術、武器の製造、菓子作り、絵画、音楽に至る多様な分野を習得することが求められた。

これらの努力の甲斐あって成功を収めた地域もあるが、成功か失敗かに関係なく、そこに共通するのは西洋からの上から目線であった。

キリスト教文化のまだ及んでいない地域は不幸であり、宣教師にはそれらの地域に神による恩寵《おんちょう》と文明の光をもたらす義務があるとの使命感があった。

この姿勢はアジアだけでなく、アフリカやアメリカ大陸、太平洋・オセアニアに対するときも変わりなかったが、イエズス会は布教を最優先させる方便として、現地の伝統や風習をある程度尊重しただけまだましであった。

海外布教に関して後発のフランシスコ会やドミニコ会は、イエズス会の成功を妬《ねた》むあまり、イエズス会のやり方は異端的であると教皇庁に告発。教皇庁がイエズス会のやり方を否定したことで、宣教師と現地の統治者との間に数々の摩擦が生じ、布教活動は後退を強いられた。

大清帝国統治下の中国大陸では、孔子《こうし》と祖霊信仰を禁止したことが典礼問題と呼ばれる大問題へと発展し、ときの皇帝である雍正帝《ようせいてい》から禁教令が出される事態を招いてしまったのである。

誰しも、他人から異質な価値観を押し付けられるのは嫌なものだが、押し付けた側が悪意をまったく自覚していない場合はなおさら始末が悪い。

現在でも先進国の人間であれば、誰もが多かれ少なかれ犯している罪ではある。

【イスラーム世界を目覚めさせたイラン革命とソ連のアフガン侵攻】

◎自信回復の第一歩となった親米政権の打倒

十九世紀にはほぼ例外なく、列強の植民地か半植民地下にあったイスラーム世界が、二十一世紀を迎えたいま沸騰している。

戦火の絶えないところもあれば、政治的混乱の続くところもあるが、共通して見られるのは**イスラームの復興現象**である。近代化の妨げとして排除される傾向にあったイスラームがここに来て息を吹き返しているのだ。

イスラームの復興やイスラーム主義という言葉で総括されているその現象には、大きく分けて二つの潮流がある。一つは**原点への回帰**を唱え、教育や福祉サービスに重きを置く草の根の運動、もう一つは自爆テロをも辞さない過激派による**武闘路線**である。

どちらの潮流とも、二つの出来事を引き金とした。一つは**イラン革命**、もう一つはソ連軍による**アフガニスタン侵攻**で、期せずして二つとも一九七九年に起きていた。

革命以前のイランは親米・親イスラエル路線のパフレビー2世の独裁王制下、強引に進められた白色革命と称する近代化政策により、不利益を被った宗教勢力とバザール商人からはもちろん、独裁体制ゆえにリベラル派から共産主義者に至る幅広い左派勢力からも反感を買っていた。

事態を悪化させた直接の原因は、政府系の地方紙が亡命中のホメイニーを共産主義者として批判する記事を掲載したことにあった。神学校が集中するゴムという町で学生たちによるデモが発生。軍がこれに発砲を加え死者を出したことで、王制にとっての負の連鎖が始まる。

十二イマーム派には、死の四十日後に追悼行事を行なう習わしがあり、それがデモに転じると軍が発砲を加え、再び死者が出る。かくして四十日ごとにデモが繰り返され、回を重ねるごとにデモへの参加人数も開催場所も増えていき、首都テヘランも例外ではなかった。

弾圧が強化されると、もはや四十日間隔どころか、テヘランでは連日市街戦の様相を呈し、反政府側で武器を執って戦ったのは宗教勢力ではなく、モジャーヘディーネ・ハルグ（イスラーム人民聖戦士機構）や親ソ共産主義のトゥーデ党といった左派系ゲリラ組織で、反イスラエルの立場から戦場慣れしたパレスチナ・ゲリラも加勢した。

アメリカ政府から見捨てられるに及んで、国王一家は出国の道を選ぶ。ここに王制は打倒されるが、入れ替わりに帰国を果たしたホメイニーが、新政権の最高指導者に選ばれたのは反王政のシンボルだったからで、新体制がどうなるかはまだ不確定だった。

その年のうちに新憲法が制定され、イランがイスラーム共和国として再出発をすることになったのは、あくまで宗教勢力が左派勢力との権力闘争に勝利した結果であったが、東西冷戦がいまだ続くなか、東西どちらの陣営にも属さない真の第三勢力、それも祭政一致の政権ができたことは世界中を驚愕させた。

何ら強力な後ろ盾を持たないイランが、声高に「アメリカに死を」と叫び、革命の輸出を公言するに及んでは、世界中のメディアがこれをどう受け止めてよいか判断に迷うのも無理はなかった。

一つだけたしかに言えるのは、イスラーム諸国でも親米路線をとる王室一同が強い危機感を覚えたのとは対照的に、宗派の別に関係なく、ムスリム社会全体が一筋の光明を見出し、自分たちの伝統を再評価するようになったことだった。

◎イスラーム主導による勢力図の塗り替え

ソ連軍がアフガニスタンへの侵攻を開始したのは、同じ年の暮れだった。不安定なアフガニスタンの共産党政権を見て、武力介入に踏み切ったのだが、まさかアメリカがベトナム戦争で犯したのと同じ轍《てつ》を踏むとは想定外だったようである。

複雑な地形と多民族からなるアフガニスタンは、制圧も占領も難しい土地で、イギリスも十九世紀に何度か試みながら失敗に終わり、保護国に留めることで妥協するしかなかった。

ソ連軍は、近代兵器をもってすれば容易に片が付くと楽観視していたようだが、現実は甘くなかった。

月に宇宙船を飛ばす超大国が、ロバで弾薬を運ぶゲリラに敗れる。そんな事態が本当に生じたのがアフガニスタン紛争で、世界中から参集した義勇兵に、ＣＩＡ（アメリカ中央情報局）が最新兵器の提供と軍事訓練を施したことから、**アフガン・ゲリラ**は軍用ヘリや戦車相手でもまったく怯《ひる》むことがなかった。

ソ連側では、戦費が当初の予想を大きく上まわったことに加え、戦死者や捕虜、精神疾患者の数が日ごとに増えるばかりとなったことから、息子や夫を戦場に送り出した女性たちのあいだから即時停戦をと政府を糾弾する声が高まり出した。

ただでさえ、アメリカとの軍拡競争で経済が疲弊しているところへ、アフガニスタン侵攻の失敗はソ連にとって大きな痛手となり、これらの複合的要因からソ連は崩壊へと向かい始める。

結局、ソ連軍は一九八九年に完全撤退を余儀なくされ、アフガニスタンには十の武装勢力からなる連立政権が成立するが、十年に及ぶ戦いを通じて多くの義勇兵が参集したことで、イスラーム世界全体に大きな**自信と連帯感**が生まれることとなった。

武器はアメリカ製でも心はムスリムのままで、超大国を相手にできるという自信が、民族や国家の壁を越えた連帯につながり、新しい形の武装闘争が始まるのだが、このアフガニスタンで訓練と実戦を経験した者のなかには、オサマ・ビン・ラディンの姿もあった。

【政教分離を国制とした初の世俗国家・アメリカ】

◎ヨーロッパの愚行を知る移民たち

アメリカ大統領の演説にはしばしば「神」という言葉が登場する。議会で宣誓を行なうにも、聖書がアイテムとして使用される。これらは信仰・信教の自由に抵触しないのだろうか。

多くの日本人は、**アメリカは自由の国**だから、信仰・信教の自由も認められていると思っているに違いない。また、国教制度を憲法によって否定した世界で最初の国であるとも。

ドイツやフランスで断続的に続いた宗教紛争や、宗教に根差したネーデルラントの八十年戦争、スペインにおける異端審問などを見聞きしたうえ、十七世紀のイギリスでも宗教に起因する動乱が続いた。そのため、主にイングランドからの移民からなっていた独立当時のアメリカ市民が、国教制度を嫌ったのも無理はない。

イギリスでは、一六〇三年のエリザベス1世の死去をもってテューダー朝が断絶し、スコットランドから迎えられたステュアート朝の時代となる。二代目のチャールズ1世がフランスから王妃を迎えたのを境に、親カトリックに傾いたことに対して徹底したプロテスタント化を求めるピューリタン（清教徒）が反発を強め、一六四二年八月にはとうとう内戦が勃発した。

この戦いは国王軍の敗北に終わり、一六四九年一月にはチャールズ1世が処刑され、国王なき共和制の時代を迎える。

一六六〇年に王政復古がなされたものの、チャールズ2世がピューリタンやカトリックなど、イギリス国教会以外の信者を排除する政策を押し進めたかと思えば、次のジェームズ2世はカトリックの復活を図った。

だが議会は、一六八八年にジェームズ2世を追放し、ジェームズ2世の長女メアリー2世と夫のオレンジ公ウィリアム3世を共同統治者に迎えた（名誉革命）。翌年に臣民の権利および自由を権利章典として議会が承認するといった具合に、事態は目まぐるしく展開した。

権利章典には、カトリックの君主またはカトリックを配偶者とする者の王位継承排除が明記され、イギリス本土はようやく宗教に起因する動乱と決別することができた。

このステュアート朝時代に、イングランドから北米植民地に移住した者は多く、現在のバージニア州ジェームズタウンはその名から想像できるように、ステュアート朝初代のジェームズ1世発行の特許状に従って設けられた植民地で、同地への入植は国策に近かった。

それ以外の地域への入植は信仰の自由を求めてのものが多く、メイフラワー号に乗り、現在のマサチューセッツ州プリマスに降り立った百二人のうち四十一人はまさしくそれにあたった。

◎プロテスタントが〝見えざる国教〟であるアメリカ

アメリカ合衆国憲法が定める信仰・信教の自由は日本人の考えるものと少し中身が異なり、政府が特定の教会（宗教・宗派）に特別の便宜を図らないというものであった。

だから大統領が「神」という言葉を使用するのも、議会での宣誓に聖書が用いられるのも問題はなかった。

とはいえ、不文律があるのもまた事実で、独立達成当時、市民の圧倒的多数がプロテスタントで占められていたことから、**プロテスタントが事実上の国教**であることは暗黙の了解事項だった。

アメリカの宗教界は、会衆派や長老派、バプチスト、メソジスト、聖公会、アーミッシュ、クエーカーなど大小無数の教派からなり、この中からどれか一つを国教に定めれば紛争が避けられないとの判断がなされた。そのため憲法の条文にも、特定の教会に特別の便宜を図らないとの一文が明記されたのだった。

しかし、時代が下ると移民の出身地にも変化が起こり、十九世紀前半にはドイツや北欧、同世紀中頃からはアイルランドや南欧、東欧から、同世紀後半には東アジアからも続々と移住希望者や出稼ぎ労働者が押し寄せるようになった。

ドイツと北欧出身者は、同じプロテスタントだからよいとして、アイルランド人とポーランド人、イタリア人はカトリック、ポーランドからの移民にはユダヤ人も多く、ギリシアや東欧からの移民は正教会の信者が大半を占めるなど、アメリカは白人社会だけでも多様性に富むようになった。

それでもイングランド出身者が最大多数を占める現実は変わらず、二十世紀初頭にはアイルランド人とユダヤ人が、黒人や先住民、アジア系ほどではないにしても厳しい差別の対象となり、教皇を悪魔呼ばわりする声も強かった。

ユダヤ人に対する差別は、第三十三代大統領のトルーマンが親ユダヤ・イスラエル姿勢を明確にしたことで解消。アイルランド人とカトリックへの差別は、一九六〇年の大統領選挙で**アイルランド系カトリックのケネディ**が当選したことをもって解消したと見ることもできる。

だが、二〇一六年の大統領選挙でトランプが勝利してからは、トランプの予想を超えて白人至上主義が勢いづき、これまた予想外だった**ユダヤ人差別に復活の兆し**が見られることから、大きな懸念が広がっている。

【十九世紀に現実味を帯びたユダヤ人のシオニズム運動】

◎差別に後押しされたイノベーション精神

ユダヤ人は金持ちで、世界経済を牛耳っている。こうしたイメージは半ば反ユダヤ主義者によるフェイクであるが、半ば当たってもいる。総人口に占める富裕層の割合の高さがそのことを物語っており、ユダヤ人から多くの成功者が出た背景には多分に歴史的要因が働いている。キリスト教世界でのユダヤ人差別は土地所有の禁止に始まり、雇用禁止へと続いた。そうなると従事できる職業は、中世以前のキリスト教で禁じられていた高利貸か商業活動に限られ、それが結果としてユダヤ人の中から多くの富裕層を生み出す原点となった。

プロテスタントの改革派で、蓄財を肯定する教義が打ち出されて以降、新たな生き残り策を講じる必要に迫られたユダヤ人は、新事業の開拓に邁進するほかなく、ダイヤモンド加工から法廷弁護、ジャーナリズム、精神医学、映画製作、ＩＴ関連事業など様々な分野で先駆者の役割を担うこととなった。

生き延びるため必死に頭を使う。当たり前のようでいてそれを実行できる民族は思いのほか少なく、多くは考える前に行動を起こし、手段を選ばず金銭や食べ物の確保に努める。

スタート段階から違ったユダヤ人の思考回路は、他の民族の目には奇異に映り、中長期的に見ればユダヤ人の成功確率の高いことが嫉妬心を誘発させ、さらなる差別を促す。ユダヤ人を巡る歴史はその繰り返しだった。

ユダヤ人のなかには差別に耐えかね、**キリスト教に改宗**する者も多く、予言者として名高い**ノストラダムス**の祖父もそうであったし、十九世紀のイギリスで首相を二期務めたディズレーリも少年時代にイギリス国教会に改宗した経歴を持っていた。

このようにキリスト教に改宗して、それぞれの居住地で同化の道を歩む者もいれば、安息日をはじめ厳格に戒律を守る者もいたが、彼らの民族言語であるヘブライ語はすでにイエスの時代に話し言葉としては死語と化しており、それが復活したのは一九四八年にイスラエルが建国されて以降のことだった。

それまでドイツや東欧在住のユダヤ人は、中世ドイツ語を基礎としたイディッシュを話し、表記にはヘブライ文字を用いていた。その他の地域に居住するユダヤ人も、現地語を基本とした独特の話し言葉を有しており、表記でヘブライ文字を用いるところだけはいっしょだった。

頑なに同化を拒絶するユダヤ人は、キリスト教徒の目からは奇異な存在としか映らず、安息日である土曜日は一切労働をせず、食事に関する規定も厳格に守ってキリスト教徒と食卓を共にすることもない。宗教離れが加速した近代以降、彼らはさらに目立つ存在へと化していく。

◎対立を傍観するだけだったイギリスの委任統治

近現代のユダヤ人差別は宗教ではなく、ナショナリズムや人種的要因に拠っていた。

そのため迫害は、キリスト教に改宗してから数代を経て、自身がユダヤ系であるとの自覚のない者にまで及び、十九世紀末のフランスを賑わせたドレフュス事件などはその典型であった。ドイツのスパイとして有罪判決を受けた参謀部所属のドレフュス大尉は、証拠や証言がすべて偽りであると判明してからも、再審が行なわれるまでに何年もの歳月がかかり、冤罪を訴え続けた文豪のゾラが出国せざるをえないほど、フランス世論は危険なまでに分断された。

その少し前の一八八〇年代からロシアの地方都市では、ポグロムと呼ばれるユダヤ人を対象にした集団殺戮が何度も起きていた。ヨーロッパのユダヤ人に不安が広がるなか生まれたのが、ユダヤ人の郷土建設を目指す**シオニズム運動**だった。シオニズムの名はエルサレムの美称「シオン」に由来する。

当初、パレスチナにユダヤ人国家を築くことは夢物語と考えられていた。その地の支配者であるオスマン帝国からはまったく相手にされず、オスマン帝国に強い影響力を持つイギリスとドイツの反応もつれなかったからである。

そんななか、イギリス植民相の**チェンバレン**だけは協力を惜しまず、キプロス島、シナイ半島などいくつかの候補地を検討した結果、最終的にはイギリス領東アフリカ（現在のケニア）でどうかと提示した。しかし、現地調査の結果が思わしくなく、さらに縁もゆかりもない地への入植に反対する声も強かったことから、東アフリカ案も排除された。

残るはやはりパレスチナだが、完全にアラブ世界と化している同地にユダヤ人が大挙入植すれば、衝突は避けがたかった。だが、差し迫った迫害よりはましというので、無謀とも思えるパレスチナへの帰還が決議された。一番人気はアメリカへの移住であったが、折からの不況の影響で移民規制が開始されたことから、パレスチナというのはやむなき選択であった。

困難と思われた土地の取得は、案外と簡単にクリアできた。ダマスカスやベイルートに本宅を構える不在地主が売却に応じてくれたからで、ユダヤ人が農業に従事するのは実に千五百年ぶりのことだった。慣れない作業だが、民族郷土を建設できると思えば苦労も感じられず、安住の地建設が開始された。

一方、現地のアラブ人の反応は、最初のうちは無関心に近かった。人数が少ない上に、すぐに挫折して立ち去るものと思い込んでいたからである。たしかに、そういう危機は何度も訪れたが、ユダヤ系イギリス財閥のロスチャイルド家の支援や後続の来訪が支えとなった。

イギリスによる委任統治が開始された一九二二年時点で、パレスチナの総人口七十五万人のうち十一パーセントをユダヤ人が占めるまでになっていた。

すでにアラブ人とユダヤ人の間の衝突は始まっていたが、イギリス当局の対処は生ぬるく、事態の悪化を傍観するばかりだった。

【憲法で禁止するも色濃く残るヒンドゥー教の身分制度】

◎カースト制度の影響がないインドのIT産業

ここ数年インドで、外国人女性や下位カーストの幼女を対象とした性的暴力事件が多発している。急に増えたわけではなく、広く報じられるようになっただけとの声もあるが、この類の事件報道には総じて重大な欠陥がある。

それは**カースト制度**との関連については、まったく説明できていない点である。外国人というか異教徒や無宗教の女性は、アウトカースト（不可触民）と同じ扱いで、下位カーストの者も不可触民かそれに準じる存在だから、彼女らとの性交はヒンドゥー教でもっとも禁忌とされる「穢《けが》れ」に抵触する重大問題のはずなのである。

カースト制度とは、バラモン（祭司）、クシャトリヤ（武人）、ヴァイシャ（庶民）、シュードラ（隷民）の四階級と、シュードラのさらに下に位置付けられるアウトカーストからなる社会制度だ。

大航海時代のポルトガル人は、インド社会の仕組みをそう捉え、ポルトガル語で家系や血統を意味する「カスタ」の語をとってカーストと命名したのだが、これには若干の誤解があって、現実のインド社会はヴァルナという右記のカースト制の四階級とアウトカーストからなる階級と、ジャーティーというさらに細分化された職能集団から成り立っている。

婚姻関係が許されるのは同じヴァルナに属する者同士で、そのため新聞や雑誌などで結婚相手を募集する広告欄には、どのヴァルナに属するか明記するのが慣例化している。

現在のインドの憲法では、ヴァルナによる差別を禁止し、異なるヴァルナ間の婚姻を認めているにもかかわらず、一度根付いてしまった習慣はそう簡単には崩れそうにない。

ただし、光明がまったくないわけではなく、ITという過去になかった産業分野の登場によって、いわゆる下位カースト出身者が、社会的成功を収められる機会が到来した。

インドが真のIT大国に変貌を遂げるのであれば、インド社会全体で大きな地殻変動が起きる可能性があり、今後の成り行きが注目される。

カースト制度では、異なるヴァルナの者とは食卓を共にできないなど制約が多すぎるため、西部のグジャラート地方や南部のタミール語圏など、比較的戒律の緩い地方出身者を除けば、インド人の海外進出は不可能に近い。ヴァスコ・ダ・ガマと現在のケニアで出会い、水先案内人を引き受けたのもグジャラート商人だった。

時代は下って、一八八八年のマハトマ・ガンディーの若き日のエピソードを一つ。

十八歳になったガンディーは、長老たちの反対を押し切ってイギリス本土への留学を果たすが、ヴァルナからの追放を宣言されていたことから、帰国後が大変だった。

ボンベイ（現在のムンバイ）まで出迎えに来てくれた兄に懇願され、やむなく聖地への巡礼と聖なる水による沐浴《もくよく》を行なったのち、聖なる牛の糞を顔や身体中に塗ってその尿も飲んだ上で、大枚を叩《はた》いて正餐を催し、長老たちを饗応しなければならなかった。

それをしなければガンディー自身の追放が解除されないだけでなく、家族にも累《るい》が及ぶというので、仕方なく従ったのであった。

◎核戦争の危機がある印パの覇権争い

それから時が経ち、イギリスからの独立を果たしたインドの憲法では、ヴァルナによる差別こそ禁止されたが、ヴァルナとジャーティーはその後も生き続けた。

とはいえ、変化した部分も多い。インド人の海外進出が盛んになり、華僑《かきょう》と並ぶ存在として印僑《いんきょう》の存在が大きくなったのはその証で、全体として戒律が緩くなったことは間違いないのだが、それには正邪の両面があった。

冒頭に記した性的暴行事件の多発は「邪」のほうの極致で、厳重な戒律下であれば、上位カーストの男性により、外国人女性や下位カーストの女子を標的として性的暴行事件など起こるはずがなかった。

加害者は穢れた存在として、そのヴァルナからもジャーティーからも追放処分を課せられ、野垂れ死にが避けられないからだ。

古い社会習慣が薄れ、新たな秩序が構築されるまでの過渡期には思わぬ事件が起きるもので、一連の性的暴行事件も遠からず過去の話になることを願いたい。

政治的な局面では、独立以来一貫して与党の座にあったインド国民会議（コングレス党）の退潮と対照的に、ヒンドゥー至上主義を掲げる**インド人民党**が、政権の座にい続けている現状に不安を禁じえない。

国内では、不可触民に対する差別の完全撤廃を訴えるかたわら、ムスリムやシク教徒などの少数派に対しては抑圧的な姿勢、隣国のパキスタンに対しても対決姿勢をあらわにしている。

核戦争をも辞さないと公言しているだけに、**カシミール紛争**に限らず、南アジアにおける覇権争い自体が、全人類の破滅を招きかねない危険性をはらんでいる。

アメリカのラトガーズ大学の研究チームがまとめた最新の試算によれば、インドとパキスタンが核戦争を始めた場合、核爆発による死者数を一億人超としている。さらに生態系の破壊により、世界的に植物の生育が二〇～三五パーセント、海洋の生産性が五～一五パーセント低下するとし、大規模な飢餓でさらに多くの死者が出ると予測している。

◎「カミとホトケ」の日本的宗教観

世界の多くの地域がそうであったように、日本の宗教も祖先崇拝と精霊信仰に始まった。後者には自然崇拝も含まれる。

元来、神道は普通名詞であったと思われる。穢れの概念を除けばこれといった教えは何もなく、現在のような神社建築が生まれたのは仏教を受け入れ、仏教寺院を目にしてからのことであろう。

それまでは山中の巨岩や奇岩を依《よ》り代《しろ》とし、祭祀《さいし》のたびに注連縄《しめなわ》を張るなどしていただけで、常設の建物はなかった。

歴史上の日本では

日本初の歴史書である『日本書紀《にほんしょき》』には、仏教の受容に対して物部《もののべ》氏と中臣《なかとみ》氏が強く反発したと記されているが、物部守屋《もりや》が蘇我《そが》氏に滅ぼされてからは、これといった抵抗は見られず、すんなりと受け入れられた。

仏教の教えには、神道とぶつかり合う部分が少なく、神道にはない部分を補い、秩序を維持する上で有益と見なされたからだろう。そうなれば神仏習合《しんぶつしゅうごう》という流れは自然の勢いだった。

おそらく仏教がインド北西部で誕生した当時のままであったら、こうはいかなかったに違いない。だが日本への仏教伝来は、インド北西部から中央アジア、中国大陸、朝鮮半島を経ていた。その間に各土地に合ったかたちに変容を遂げ、日本に伝来した時点で、すでに日本の風土に合うものとなっていた。

時代が少し下ると、遣唐使によって密教《みっきょう》が伝えられたが、それと同時に中国の土着信仰の集合体である道教《どうきょう》も部分的に取り入れられ、それらが合わさって陰陽道《おんみょうどう》や修験道《しゅげんどう》が生まれた。日本で受け入れられた密教は呪術《じゅじゅつ》に近く、当初は皇族や摂関家など一部支配層の独占物だった。懐妊や安産、降雨、病気平癒などの祈願が密教に期待された役割で、特定の人物の呪殺《じゅさつ》を託されることもあった。

平安時代までの仏教はまだ大衆とは縁遠く、仏教が本当の意味で庶民の日常生活に根付くには鎌倉新仏教の登場を待たねばならなかった。武士層を中心に禅宗《ぜんしゅう》が根付いたのと同じ頃である。

また、戦国時代になると、神社や寺院にとって経済的な支援者である朝廷や公卿などの衰微《すいび》は致命的で、一般庶民に門戸を開く路線変更を余儀なくされた。庶民の参拝を許して歓迎し、庶民は賽銭《さいせん》を奉納して願いを込めるようになるなど、大衆化路線を歩み始めたのだった。

神仏習合は、神とは仏陀《ぶっだ》が地上の人間を救済しようとして出現する際の姿という説明がなされ、本地垂迹説《ほんじすいじゃくせつ》と呼ばれた。

これによって寺院と神社を併設ないし、神社内に寺院を、寺院内に神社を設ける風習も広まり、奈良で言えば興福寺《こうふくじ》と春日大社《かすがたいしゃ》、京都近郊でいえば比叡山延暦寺《ひえいざんえんりゃくじ》と日吉大社《ひよし》が対の関係にあった。延暦寺が強訴《ごうそ》に及ぶとき、日吉大社の神輿《みこし》を僧兵が担いだのはこのためである。

仏教寺院は、それぞれ広大な荘園と多数の僧兵を擁し、武士団に劣らぬ経済力と戦闘力を有しており、院政時代から戦国時代末期までの為政者はその対応に苦しんだ。戦国時代後半には**一向一揆**《いっこういっき》も強大化して、織田信長《おだのぶなが》や上杉謙信《うえすぎけんしん》をも悩ませた。

日本にキリスト教がもたらされたのは、それとほぼ同じ頃で、九州では貿易による利益を目論んで入信した**キリシタン大名**が何人も現われ、九州から京都に至る西日本一帯で多くの信者を獲得した。

だが、豊臣秀吉《とよとみひでよし》による**バテレン追放令**に始まり、オランダ商館長による**カトリックの布教と侵略はセット**という中傷が江戸幕府の危機感を募らせ、徳川三代の間に**鎖国体制**が確立された。キリシタンの信仰も布教活動も一切禁止され、一部の信者たちは明治を迎えるまで潜伏を余儀なくされた。

◎儒教を全面導入しなかった徳川幕府

儒教《じゅきょう》は、日本でも早くから知られていたが、御恩《ごおん》と奉公《ほうこう》でギブアンドテイクの関係にあった鎌倉・室町時代の武士にも、下剋上《げこくじょう》が横溢した戦国時代の武士にも縁遠く、それが広く普及したのは江戸時代に入って、徳川幕府が奨励するようになってからだった。

江戸時代には、儒教のなかでも**朱子学**《しゅしがく》の説く「忠」の教えが徹底された。幕府は湯島に昌平《しょうへい》坂《ざか》学問所を設け、朱子学を国学として教授させたが、全面的に受け入れたわけではなく、孔子《こうし》の教えでも「忠」より「孝」を優先させる考えは武家諸法度に反するとして、また孟子《もうし》の説く易姓革命説《えきせいかくめいせつ》は万世一系の天皇神話に反するというので排され、それとは対照的に見返りを求めない愚直なまでの忠に重きが置かれることとなった。

徳川幕府の儒教においては、下剋上は最大の罪悪で、武士社会に限らず、商家でも使用人は主人家族に対して従順が求められ、家庭では父親と長男に逆らうことは罪とされた。一般庶民の世界では忠が義理や人情に置き換えられるかたちで、広く定着していく。

神仏習合は踏襲され、徳川幕府は戸籍を兼ねた**宗門改**《しゅうもんあらため》を義務付け、全国民を必ずいずれかの寺院の檀家《だんか》とし、キリシタンでないことを証明させた。これは明治六年（一八七三）に撤廃されたが、それでも長崎周辺には、信仰を捨てていなかった多くの「**隠れキリシタン**」が存在した。

逆に災難に見舞われたのが仏教である。江戸時代中頃に始まる**国学**という新たな学問の影響を受け、水戸藩《みとはん》や薩摩藩《さつまはん》ではペリー来航以前から神仏分離と**廃仏毀釈**《はいぶつきしゃく》が行なわれていたが、明治維新後の明治元年（一八六八）には、政府により**神仏分離令**が発布された。

全国的に寺院と神社がはっきり分断されただけでなく、神社にあった神像は大半が破却され、由緒ある寺院でも仏像や仏具の破却が強行された。

新政府のなかでも、正気を保っている人がいたおかげで破壊活動はすぐに中止されたが、それでも多くの貴重な文化財が失われてしまい、日本史上における大きな汚点となった。

◎事実上の国教であった「神道」

明治二十二年（一八八九）に公布された**大日本帝国憲法**（明治憲法）では、信教の自由も謳われたが、**神道は宗教にあらず**との論理のもと、神道が事実上の国教に位置付けられたことは疑いない。

明治になって急ごしらえした**国家神道**を、由緒ある神社神道の上に置いたことは、日本の宗教史上最大の汚点で、戦前に限れば新興宗教の大本教《おおもときょう》に対する二度に及ぶ弾圧が最たるものと言える。

戦時色が濃くなり、軍部が実権を掌握してから状況がさらに悪化し、天皇への忠誠度を測る指標として利用されるようになった。その呪縛からの解放は、ＧＨＱによって国家と神道を分離する**神道指令**が発せられるまで待たねばならなかった。

戦後最大の宗教事件としては、平成六年（一九九四）六月二十七日の松本サリン事件と、翌年三月二十日の地下鉄サリン事件に代表される一連の**オウム真理教関連事件**が挙げられる。

それからしばらく、新興宗教全体が逆風に晒されたが、事件後に生まれた世代は実感が持てないこともあって、近年その後継団体が信者を増やしつつあるという。

宗教に限らず、政治カルトに走る人が増加傾向にある現状は危険この上なく、次世代が大きなツケを支払わせられるのではないかと不安を感じる。

第5章

「文化・文明」を誇示するための覇権

世界の今を考える

◎紛争の原因と化している近代西欧文明

サミュエル・ハンチントンの著『文明の衝突』が世界的なベストセラーとなり、邦訳が刊行されたのは一九九八年のことだ。

それから五年後にはマルク・クレポンの『文明の衝突という欺瞞《ぎまん》』という、ハンチントンの著書を「恐怖と敵を作り出す文化」を助長し、人びとの感覚を蝕むものとして批判する著作の邦訳が刊行された。

両著作の是非や優劣はともあれ、現実の世界は不幸にも『文明の衝突』に書かれた内容と近いものへ向かいつつある。だが、それは歴史の必然ではなく、多分に人工的なものと断言できよう。

世界で多発する民族紛争は、根が深いと語られがちだが、よくよく調べてみると、ほとんどが近代の所産であることがわかる。平たく言えば列強の**帝国主義政策が残した負の遺産**である。

もっとも典型的な例がアフリカである。列強間の武力衝突を避けるために、**ドイツの宰相ビスマルク**が、オスマン帝国を含めた欧米十四カ国の代表をベルリンに招き、一八八四年十一月から百日余りの交渉を経て、全七章三十八条からなる**アフリカ分割の大原則**を定めたのが事の始まりである。

現地の事情をまったく知らない代表たちの取り決めとあって、やたら直線が多く、そのとき引かれた境界線が現在も国境線として踏襲されている。

サハラ砂漠以南のアフリカでは、強大な国家が成立した例が少なく、多民族多言語で構成されながら、基本的には違いを認め合って上手く共存していた。

ところが、列強が進出して行政権を掌握すると、民族や部族による区別を明確化したうえで、キリスト教の布教にも力が入れられ、入信した者とそうでない者、従順な者とそうでない者とを露骨に差別化した。こうした**分断統治が従来の社会秩序を破壊**し、地域社会をギスギスとしたものへと変えたのだった。

第二次世界大戦終結以降の独立は、こうした状況下で行なわれた。分断統治が残した深い傷を、借り物にすぎない近代西洋文明で癒すことは適わず、どこの国でも政治腐敗とネポティズム（縁故主義）がはびこり、それが**民族対立や宗教対立**を煽《あお》ることにつながった。

一九九〇年代に頻発した悲惨な地域紛争は、すべて帝国主義によって撒かれた種に起因するもので、殺傷力の高い武器の氾濫やメディアを通じた扇動も、被害を拡大させる要因となった。

少し事情は異なるが、バルカン半島も無責任な帝国主義政策の犠牲者であった。長らくオスマン帝国領であった同地には、宗教・宗派の別はあっても民族という概念は一部知識人のものでしかなかったのに、ロシアとオーストリアが勢力拡大に利用しようとして、それを持ち込んだことで、**「世界の火薬庫」**と呼ばれる一触即発の要注意地帯と化し、冷戦終結後には南スラブを意味するユーゴスラビアという一つの国家が七つにも分裂する事態となった。

十九世紀以前のオスマン帝国にはなかった民族間の対立、西欧社会が生み出した**近代ナショ**

ナリズムは普遍的なものではなく、それを押し付けられた地域では、対立や紛争がやまず、どういう形で終息するのか、先が見えないのが実情である。

◎あまりにも露骨な中国の海洋進出

現代中国が抱える諸問題のなかでも、民族問題や宗教問題と並んで憂慮すべきは、香港《ホンコン》や台湾の扱い、南沙諸島《なんさしょとう》（スプラトリー諸島）の**領有権などを巡る問題**である。

香港はもともと小さな漁村であったが、イギリスの植民地として大いに発展した。西洋文化に接しながら、地理的に近い東南アジアの影響も強く、公用語の広東《かんとん》語をはじめ、百七十年という短い歴史のなかで独自の文化を築いてきた。

イギリス領時代に選挙制度はなく、一九七〇年代までは汚職と犯罪が蔓延する魔都《まと》と呼ばれるに相応《ふさわ》しい都市であったが、一九八〇年代には面目を一新。**香港人というアイデンティティ**が強まり出した。

一方の台湾が中国の版図に組み込まれたのは、清の康熙帝《こうきてい》時代で西暦で言えば一六八三年のこと。以来、福建《ふっけん》省南部から大量の移民が押し寄せ、漢民族の世界に組み込まれた。

先住民はポリネシア系の民族で、歴史的に東南アジアとの交流が深く、半世紀に及ぶ**日本統治時代**も経験したことから、さまざまな文化が交錯する独自の世界ができあがった。

台湾人が、アイデンティティを公の場で口にできるようになったのは、世界最長の戒厳令が解除された一九八七年以降のことで、台湾人（本省人）を自称する福建系移民の中には、中華民国の台湾省ではなく、国名を台湾とした上での国際社会復帰を求める声が少なくない。

香港と台湾はまだ中国大陸に近く、漢民族が多数を占めるところだが、**南沙諸島**があるのは南シナ海である。ベトナムとマレーシア領ボルネオ島、ブルネイ、フィリピンのパラワン島に西南東の三方を囲まれた海域のほぼ中央に位置しており、そこを中国領と主張するのは相当に無理がある。

二〇一五年には、オランダのハーグにある常設仲裁裁判所が、中国による領有は国際法に違反するとの裁定を下したが、中国はそれを受け入れず、実際には岩礁と砂洲しかない同海域に人工島群を築き、軍を常置させるなど、着々と実効支配を固めている。

中国のこの挙は、海洋資源と漁業資源の確保に加え、海洋進出による国威発揚の意図が込められており、明《みん》の永楽帝《えいらくてい》が行なわせた鄭和《ていわ》の大航海と一脈通じるところがある。違うのは覇権意識が前面に出すぎて、より質《たち》が悪いという点である。

◎**相対的に弱まったアメリカとロシア**

近代西洋文明に、行き詰まり感があることは否めないが、いまだ世界をリードする立場にあることもまた事実である。

二度の世界大戦を経て、西欧諸国がのきなみトップ争いから脱落するなか、現在もリングに立ち続けているのはアメリカとロシアの二カ国である。

ロシアは、ヨーロッパのなかでも後発の国だ。西欧に追い付け追い越せと近代化を推進したが、その結果が一九一七年の**ロシア革命**である。

ソ連はアメリカと並ぶ超大国だったとはいえ、軍事と科学の分野だけが突出して、国民全体は質素な生活を強いられていた。全国民は等しく貧しく、最低限のライフガードは国が責任を持ってくれたから、何とか持ちこたえてこられた。

それでもアメリカとの軍拡競争と、アフガニスタン侵攻による軍事費の負担はあまりに重く、一九八五年に成立したゴルバチョフ政権のもとで推進された、**ペレストロイカ（改革）**と**グラスノスチ（情報公開）**だけではどうにもならず、一九八九年には**冷戦終結**、一九九一年には**ソ連解体**を迎えることとなった。

新生ロシアでは、大統領制と複数政党制による自由・民主主義体制が採用されたが、それは貧富の格差と政治・社会的混乱をもたらすばかりで、十年余も無政府に近い状態が続いたことから、多くの国民がしっかりとした中央政府と強力なリーダーを求めるようになった。

かくして登場したプーチンのもとで、ロシアは秩序を取り戻すとともに、**再びアメリカと覇権を争う**存在に返り咲くが、両国の特徴を俗な言葉で例えるなら、ロシアが狼や虎、熊をも恐れないハンターなのに対し、アメリカは平等を謳いながら常に差別の対象を必要とするカウボーイと保安官を兼ねた存在と言うことができよう。

◎覇権争いの舞台はついに宇宙へ

米露の覇権争いは、**AI兵器の開発**や**宇宙への進出**にまで及び、近年はこれに中国も加わった。AI兵器に関しては、無人偵察機や無人爆撃機を実戦投入しているアメリカに分がありそうだが、宇宙への進出と宇宙兵器に関しては判断材料に欠ける。

アメリカのレーガン大統領が、衛星から大陸間弾道弾を迎撃する戦略防衛構想、通称「**スターウォーズ計画**」を打ち出したのは一九八三年のことだが、現時点で可能なのは衛星による衛星の破壊止まりで、衛星から大気圏内を攻撃する兵器はいまだ開発に至ってはいないようだ。

トランプ大統領は**宇宙軍の創設**を提起したが、それがロシアと中国を刺激したことは間違いなく、ドローンからの攻撃に留まらず、衛星からの攻撃も可能となれば、今後の戦争は大いに様相を変えるに違いない。

イラクで起きたソレイマニ司令官殺害にはドローンが使用されたようだが、これにもっとも敏感に反応したのは北朝鮮の金正恩《キムジョンウン》であったかもしれない。同じ方法で自分も暗殺されるのではないか。心当たりが十分あるだけに、ますます神経質な行動に出る恐れもある。

もっとも心配なのは、先手を打ってトランプ殺害を試みることで、大統領選挙の賑わいは絶好の機会となるかもしれない。暗殺の成否に関係なく、もし同様の作戦が実行されれば、東アジア全域が戦火に覆われることも懸念される。

【アレクサンドロスの遠征とヘレニズム文化】

◎史上初の世界征服者アレクサンドロス

世界征服を目論んだ人物といえば、新しいところではヒトラーやナポレオンの名が脳裏に浮かぶが、人類史上最初に世界征服を目論んだ人物といえば、これはもうマケドニア王国の**アレクサンドロス大王**（前三五六～前三二三年）を置いて他にいない。彼には軍事的な支配では飽き足らず、文化の面でも征服者であろうとした痕跡が垣間見える。

マケドニアは、現在のギリシア北部を根拠地とした国で、アテネやスパルタに比べれば新興国で、ワインを水で割って飲むのが普通であった当時では、割らずに飲むマケドニア人を、アテネ人にはバルバロイ（野蛮人）扱いする者も少なくなかった。

アレクサンドロスの父フィリッポス2世は、いまだ偏見が根強い状況下で、武力で屈服させることでようやくギリシア諸都市と同盟関係を結ぶことに成功。ペルシア戦争の報復として東方遠征を実行に移そうとした前夜、痴情のもつれで暗殺された。

二十歳にして後継者となったアレクサンドロスは、北方で起きたトラキア人の反乱を平定したのち、前三三四年には同盟軍とともに**東方遠征**に向かった。当初の目的はペルシア戦争で敗北を喫しながら、ギリシアがペロポネソス戦争の只中にあったのに乗じ、ギリシア全体を隠然たる影響下に置いていたイランのアケメネス朝打倒にあった。

ときにアケメネス朝は、衰退に歯止めのかからない状態にあり、アレクサンドロスは小アジアからシリア、エジプトへと寄り道をしながら連戦連勝を続け、前三三〇年七月にはアケメネス朝を滅ぼすことに成功した。

これで故郷へ戻れる。従軍した誰もがそう思ったが、アレクサンドロスだけはさらなる敵を求め、中央アジアや現在のアフガニスタンにも軍を向けた。それらの地を征服してもまだ飽き足らず、彼はインダス川を越えてインドというギリシア人にとって未知なる世界に侵攻した。アレクサンドロスは、**大地が続くかぎりどこまでも東進する**気でいたようだが、現在のラホールの東、ヒュファシス（現在のベアス）河畔に到達したところで、将兵たち全員がそれ以上の前進を拒否した。アレクサンドロスも東進をあきらめ、軍を西へ返すことにした。

彼が熱病に犯され、急死を遂げたのはそれから三年後で、彼の死からまもなく三大陸にまたがる帝国は分裂し、三つのギリシア系王朝が割拠することとなった。

アレクサンドロス帝国の寿命は短かったが、その後継国家は二百年以上生き延び、その間に征服地の各所に築かれたアレクサンドリアの町を中心に**ヘレニズム文化**が根を下ろす。ヘレニズムとは古代ギリシアの自称であるヘレネスに由来する言葉で、ギリシア風文化を意味する。

◎ヘレニズム文化に至上の価値を置いたギリシア人

大王が最初に築いたアレクサンドリアは、ダーダネルス海峡の入り口に位置した古代都市トロイの跡地で、二番目が現在のトルコ南部、シリアとの国境に近い地中海岸の都市イスケンデルンだが、知名度の点では三番目に築かれたエジプトのアレクサンドリアが一番である。

オリエント一帯と地中海世界から著名な学者や詩人を招き、**ムセイオン**（学園）という知の殿堂を設立。付属の研究施設として造られた図書館は七十万巻もの蔵書を備え、当時では世界最大規模を誇った。

もっとも東に築かれたアレクサンドリアは、アレクサンドリア・エスハテ（最果てのアレクサンドリア）と命名され、現在のタジキスタンのホジャンドがそれに当たる。

そこから南に行けば、アフガニスタンとパキスタンの国境あたりで、そこはかつてギリシア系のバクトリア王国が栄えた地で、そこから少し東がガンダーラ仏誕生の地である。このため仏像の誕生もヘレニズム文化の影響と言われている。

ギリシア人は、行く先々で現地の神とギリシア神話の神々の融合を図った。各地の神々をゼウスやアポロンなどにあてはめ、固有の神名を消していったのである。これら神々の石像や仏像、コインの図柄などを見ると、ヘレニズム文化がエジプトと西アジア一円を覆い尽くしたかのように思えるが、そこには大きな盲点がある。

従来、これらのことがヘレニズム文化の優越の証左とされてきたが、近年はそれを過大とする否定的な見解が目立っている。支配層がギリシア人になっただけで、ヘレニズム文化の影響は被支配層にまでは及ばなかったというのである。

たしかに、アレクサンドロス大王により征服されたどこを見ても、生活習慣の上でヘレニズムの痕跡はまったくと言ってよいほど残っていない。入植が行なわれても、そこは陸の孤島のような閉鎖的な空間で、現地人との接触は最低限に抑えられていたのかもしれない。

イランでは現地女性との集団結婚も行なわれたが、真っ当な夫婦生活を続けた者はわずかで、大半は数夜床をともにしただけで、本国へ帰還してしまった。

アレクサンドロス自身を除いて、現地社会との融和に否定的な者が大半を占め、激しく抵抗する相手には無差別の虐殺をもって応え、女性や子どもといえども容赦なかった。

彼の後継者たちにしてもオリエント文化を劣等と決めつけ、**ヘレニズム文化を普遍的で至上のものとする上から目線**に終始しており、これでは両者がうまく融合するはずもなかった。

ヘレニズム文化が過度に強調された背景としては、考古学が近代の西洋で確立されたことが挙げられる。当初の目的が『旧約聖書』に記された内容に、いかに多くの史実が反映されているかの証明と、東洋文明に対する西洋文明の優位を裏付けることにあったため、前四世紀から前一世紀にかけての遺跡の発掘調査で、ヘレニズム文化のものばかりに脚光が浴びせられた。

そのため土着文化の色濃い出土品は、無視・破壊ないしは売却されてしまうという、文化・文明の虐殺とも呼ぶべき発掘作業が行なわれていた。

【秦の始皇帝による中国統一から版図を拡大し続ける漢民族】

◎必然ではなく結果であった中華文明

中国は多民族国家と言いつつ、総人口の九一・五パーセントが漢民族に占められている。行政区分としては中央直轄市と省、自治区の三種類があり、**直轄市と省は近代以前から漢民族が多数を占めていた地域**である。

東北三省に漢民族が多く居住するようになったのは、大清《だいしん》帝国（清王朝）の時代、南部の広《かん》東《とん》・広西《こうせい》・貴州《きしゅう》・雲南《うんなん》・福建《ふっけん》・江西《こうせい》なども南北朝時代、西北の甘粛《かんしゅく》省も漢王朝時代からなので、漢民族本来の居住域は中国を最初に統一したとされる秦《しん》王朝時代の版図を基本と見てよいだろう。それに先立つ殷《いん》・周《しゅう》王朝の直轄地は黄河《こうが》の中流域に限られていた。

漢民族の形成は大きく四期に分けられ、第一期は秦による統一時、第二期が隋《ずい》・唐《とう》による統一時、第三期は北宋《ほくそう》による統一時、第四期は明《みん》による統一時になる。

北方民族をはじめ、**漢字と儒教文化を受け入れた者すべてが漢民族**として数えられるようになったことで、漢民族が圧倒的な多数を占めるに至ったのだった。

秦の王室も元を辿れば西戎《せいじゅう》と目され、周の王室も同様だった。西周の滅亡後、春秋戦国時代を経て、前二二一年に秦の始皇帝《しこうてい》による中華統一がなされたが、それは必然ではなくあくまで結果であった。

黄河《こうが》流域と長江《ちょうこう》（揚子江《ようすこう》）以南では、まったく風土が異なるから、長江を境に別々の道を歩んでもおかしくなかった。現にヨーロッパを見れば、西側ではカトリックとラテン文字、東側では東方正教会とギリシア文字を共有しながらいくつもの国家が併存していた。

漢民族が一つの民族とされるようになったのもまた結果であって、複数の国家による併存が長く続けば、方言差では済まされず、ヨーロッパと同じように、別個の言語を使用する別個の民族という概念が定着してもおかしくなかった。

このように中華の枠組みはなかなか確定せず、戦国七雄と呼ばれたなかの秦が、他の六国を滅ぼして、皇帝という新たな称号を定め、貨幣・度量衡《どりょうこう》・文字の書体、馬車の幅などを統一させたことで、現在に続く中華と漢民族のひな型が形成された。

秦王朝自体は短命に終わったが、最高君主としての皇帝の称号と、中華のおおよその枠組みはその後も踏襲された。そうなった理由を特定するのは難しいが、あえて言うなら自尊心が関係するのかもしれない。

特別な君主を戴く特別な民からなる国家は、広大で他を圧するだけの人口をも有していなければならない。そうした自尊心を満たすためには、皇帝により統治される広大な版図と膨大な民が必要とされ、秦の始皇帝時代が手本にされたのではないだろうか。

◎既成事実の積み重ねで「固有領土」を広げる漢民族

漢字や漢民族という言葉があることからわかるように、中国にとって大漢帝国（漢王朝）は特別な意味を持つ。中間に新《しん》という短命の王朝を挟んで、前漢と後漢をあわせて約四百年もの長命を保ち、最大版図は秦のそれを越えたのだから、特別扱いしたくなるのも納得がいく。

秦の時代より増えた領土は、朝鮮半島北部と現在の甘粛省。後者は黄河の水源より西に位置すると考えられたことから河西《かせい》とも呼ばれた。

漢王朝としては、朝鮮半島全域を併合して入植地にするつもりでいたようだが、抵抗が激しく、結局は全面撤退するしかなかった。

河西の地は西北に大きく突出した形だけに、ひどく不自然に思えるが、飛び飛びにあるオアシスには入植が可能であったことから、それはそれで納得がいく。

初期の中華の枠組みの中に限っても、いくらでも土地が余っていそうだが、当時の技術では開拓が難しく、**オアシスを農地化**するほうが容易だったのだろう。

だが、河西を占領して、そこへ農業移民を送り出すことは、安全保障の上からも重要な政策だった。

前三世紀以前には、北アジアから中央アジア一帯が遊牧民からなる北方民族の独壇場で、秦から前漢の時代には匈奴《きょうど》が猛威を振るい、前漢の高祖《こうそ》（劉邦《りゅうほう》）は匈奴を兄として敬い、毎年一定量の贈り物をする、対等とは言い難い同盟を結ばざるをえなかった。

七代目の武帝《ぶてい》時代になって、ようやく立場を逆転させることに成功するが、匈奴の巻き返しを防ぐにはその勢力圏に楔《くさび》を打ち込む必要があり、その役目を託されたのが河西に設置された四郡だった。

西域との隊商交易も重要だったが、駿馬を除けばどうしても必要なものはなく、のちにシルクロードと呼ばれる交易路の確保は二次的な目的にすぎず、一番の目的は匈奴の活動領域を狭め、その力を削ぐことにあった。

一度既成事実を作ってしまえばしめたもので、河西を固有の領土とする意識が定着すれば、他民族に占領されることがあっても、再征服が国土奪回の名のもと正当化される。少なくとも漢民族の側を納得させるには十分だった。

このような背景から、秦の版図外でも西北に大きく突き出した部分だけは自治区ではなく、省の名が冠せられても誰も不思議には思わなかった。

東北三省も、秦の最大版図に比べれば東北に大きく突き出しているが、こちらも清王朝時代に漢民族の大量移住が行なわれ、あっという間に漢民族が多数を占める状態になった。そのため省の名を冠しても違和感のない土地になった。

地中海の覇者としての誇りを持ちヨーロッパに君臨した古代ローマ帝国

◎「ローマの海」と化した地中海

古代ギリシア・ローマ文明の痕跡または影響の有無は、ＥＵ（ヨーロッパ連合）加盟の是非を決める際の影の基準となっている。

ルネサンス期以降のヨーロッパ人は、一括して古典古代と呼ばれるギリシア・ローマ時代に対して強い憧憬を抱いていた。最後までポリス（都市国家）の枠を超えることのなかったギリシアに対し、ローマは一都市国家に始まりながら、地中海一円を支配する大帝国へと成長を遂げていたから、のちの権力者たちがその顰《ひそみ》に倣いたくなるのも無理はなかった。

古代ローマはイタリア半島を統一したのち、シチリア島を巡って、現在のチュニジア北海岸にあったフェニキア人の都市国家カルタゴと激突した。三度にわたる戦争に勝利したことで、イベリア半島とサルデーニャ島、マグリブ（リビア以西の北アフリカ）を支配下に置き、同時並行して行なわれたマケドニアとの戦いでも勝利を収めた。

前一世紀には小アジアとシリアをも征服して、残るエジプトは**カエサルが女王クレオパトラ7世と結婚**することで保護国化し、ここに**地中海は「ローマの海」**と化した。前三〇年にはカエサル暗殺後の後継者争いに勝利したオクタウィアヌス（のちのアウグストゥス）によってプトレマイオス朝が滅ぼされ、エジプトもローマの属州と化した。

エジプトへの遠征より前、カエサルはガリアで先住民相手に死闘を展開していた。ガリアとは現在のフランスとスイス、イタリア北部に相当する地域で、森林に覆われた同地の占領自体には、ローマにとって何のメリットもなかった。だがガリア人と総称されたケルト系諸民族が侵攻を繰り返すため、完全屈服させないことには安心できなかった。

つまり、「攻撃は最大の防御」という観点から行なわれた遠征で、カエサルがその司令官に名乗り出たのは、勇将であるポンペイウス、大富豪のクラッススと組み、三頭政治の名のもと元老院の風上に立ち続けるためで、権力の裏付けである市民からの支持を維持するためには、輝かしい軍功が不可欠と考えたからだった。

当時はブリタニアと呼ばれた大ブリテン島に渡ったのは勢いのなせる業だったが、のちに鉄資源が豊富であることがわかると、ローマは本格的な派兵に踏み切り、四百年余にわたってイングランドの大半を支配下に置いた。

便宜上、帝政ローマの始まりは前二七年とされる。版図の拡大は**五賢帝時代**（九六～一八〇年）にピークに達した。その後の帝国は、三三〇年にコンスタンティノープル（現在のイスタンブール）に遷都し、三九五年に東西分裂。四七六年には**西ローマ帝国が滅亡**する。

一四五三年には**東ローマ帝国**（ビザンツ帝国）が滅亡するが、東ローマ帝国では六世紀に公用語がラテン語からギリシア語に変更されているので、古代ローマ文明と言う場合、四世紀末をもって終わりとするのがよいかもしれない。

◎今もヨーロッパ人が憧憬する古代ローマ時代

「すべての道はローマに通じる」「ローマは一日にしてならず」など、古代ローマ文明の偉大さを語る言葉はいくつもある。これこそ優越感の表われと言ってもよく、イタリア半島全域のローマ自由民に市民権が付与されて以降、サビニ人とかサムニウム人の子孫と称する者はいなくなり、誰もがローマ人と称した。

二一二年に、帝国の全自由民にローマ市民権が付与されたときも、誰も**がローマ人であることを誇り**とした。そのためイタリア半島以外でも、新たに築かれた町はどこも同じ造りで、列柱の中央通りと円形闘技場、神殿、広場、公衆浴場などが必ず備わり、配置までおおむねいっしょだった。個性的な町造りは否定され、より完全なコピーが追求されたのである。

古代ローマ帝国は基本的に軍事国家で、軍役以外の労働は奴隷に頼るのが常態化し、商店主なども実務はすべて奴隷に任せ、午前中に一度店舗に顔を出す程度で、残りの時間は裁判所での傍聴や円形闘技場での観戦、浴場での入浴や体操、読書などに費やされた。浴場でも大きなところは、図書館などを備えた総合娯楽施設だったのである。

皇帝が一番に気を遣ったのは親衛隊で、彼らは給与や手当に不満を持てば、平然と暗殺や政変を実行した。次に気を遣ったのは市民である。「パンとサーカス」という言葉があるように、皇帝は市民に小麦粉と円形闘技場での娯楽を無料で提供したうえ、浴場の料金も格安に抑えねばならなかった。そうしたサービスの提供こそが皇帝の義務とされたからで、皇帝選出の決め手が市民の歓呼であった関係上、これまた欠かすわけにはいかなかった。

外交上の問題は何事も武力で解決してきた古代ローマだけに、版図の拡大が止まるとともに機能不全に陥るのは避けられなかった。

新たなる奴隷の確保は、奴隷商人から買い取るか奴隷同士の結婚出産に頼るしかなくなり、戦争がやんだことで今さらながら疲弊が実感された。

殺生を忌む空気も強まって、見世物も剣闘士同士の血なまぐさい死闘より戦車レースが好まれるようになるなど、人びとの意識に明らかな変化が表われ出した。

盛者必衰の道理と言ってしまえばそれまでだが、ルネサンス期以降のヨーロッパ人が憧れを抱く古代ローマは、だいたいカエサルから五賢帝時代前夜までで、いまだ伸びしろのある時期であった。

ヨーロッパの人びとは、十九世紀を自分たち中心に世界がまわっていた時代と自覚していたが、二十世紀の二度の世界大戦を経て落ちぶれ、二十一世紀になった現在も先進国に数えられながら、先にあるのは不安ばかり。そのため、まだ伸びしろのあった時代を理想化し、憧れを抱き続けているのだった。

【漢民族ではない唐と元が築いた世界帝国】

◎唐の長安は異民族が多い国際都市であった

現代中国の習近平《しゅうきんぺい》政権は「一帯一路」という非常に野心的な国際戦略を掲げている。世界経済の確固たる中心になろうとしているのだが、その根底には過去の栄光がちらついているように思えてならない。

中華王朝が「世界帝国」と呼ばれるに相応しかった頃の姿が多分に理想化された形で、中国歴代王朝のなかでも、**唐《とう》と元《げん》は世界帝国**と呼ばれることが多い。唐は中央アジアにまで版図を広げた上に、都の長安《ちょうあん》（現在の陝西《せんせい》省西安《シーアン》市）と南シナ海の玄関口である広東《カントン》（現在の広東省広州《こうしゅう》市）に、国際都市と呼べる町が栄えたこと。元は唐をも上まわる大帝国を築き上げたうえに、陸海両ルートを通じてアジアの東西を一つの経済圏にまとめあげたことに拠っている。

この二つの王朝には、他にも共通点がある。それは**北方民族による征服王朝**であるということだ。

モンゴル人からなる元はともかく、唐は違うと思われるかもしれないが、唐の帝室が隋のそれと、隋の帝室が北周《ほくしゅう》のそれと姻戚関係にあり、北朝政権がどれも鮮卑《せんぴ》系であったことを考えれば、少なくとも男系では北方の民族による征服王朝と言える。

唐の時代は陸路を通じて中央アジアやイラン、海路を通じて同じくイランやアラビア半島とつながっており、唐人の出国は禁止されていたが、異国人と辺境の民はその限りではなく、長安にはソグド人やイラン人、広東にはアラブ人の大規模のコミュニティーが形成されていた。

西域との交通は漢代に通じていたが、西域から来るのは公式使節か仏教僧に限られ、商人やその他一般人が来訪するようになったのは隋代以降のことだった。

西域の事情に疎い唐の人びとには何もかもが目新しく、長安では主にソグド人女性からなる胡姫《こき》が酒場の給仕を務め、宮廷ではポロ競技が人気を集めた。

ササン朝からの亡命者を積極的に受け入れたことから、イラン人貴族も多く、彼らが信仰するゾロアスター教やマニ教、キリスト教ネストリウス派の教会は三夷寺《さんいじ》と総称された。

現在、西安観光の目玉の一つとなっている碑林《ひりん》には当時造られた「大秦景教流行中国碑《だいしんけいきょうりゅうこうちゅうごくひ》」という石碑も展示されている。景教とはキリスト教ネストリウス派のことである。

朝廷では異民族を武人として取り立てることにも積極的で、アッバース朝とのタラス河畔の戦い（七五一年）で指揮を執った**高仙芝**《こうせんし》は高麗《こうらい》の出身で、七五五年に安史《あんし》の乱を起こした**安禄山**《あんろくざん》はソグド人とトルコ系のハーフで、安史の乱鎮圧に失敗して敗死した**哥舒翰**《かじょかん》も突厥《とっけつ》の血を引いていた。

またアラブの史料には、腐敗と重税に反抗して、王仙芝《おうせんし》が起こした**黄巣の乱**《こうそう》（八七五～八八四年）に際して、広東在住のムスリム商人十万人が殺害されたという記事も見られ、数字の真偽はともかく、広東に中東系**ムスリムの巨大コミュニティー**があったことは間違いない。

◎アジアの東西をつないだ元

モンゴル帝国は、テムジンがクリルタイという族長集会で**チンギス・カン**の称号を贈られた一二〇六年をもって始まりとする。

五代目の**クビライ**のときに、国号をダイオン・イェケ・モンゴル・ウルス（大元大モンゴル帝国）と改めるが、これが中国史で言う**元王朝**にあたる。

モンゴル帝国は、東アジアから南東ヨーロッパまでを一つの経済圏にまとめあげ、世界史上の一大転機をもたらした。

先行する匈奴や鮮卑のように中華に同化されなかったのは、イスラーム世界という中華と並ぶ巨大文明圏をも熟知していたからで、中華の統治にあたっても科挙《かきょ》官僚に頼ることなく、西域出身の色目人《しきもくじん》と総称された人びとを積極採用して、宮廷用語及び行政用語としてはペルシア語を公用語とした。

中国におけるモンゴルの覇権は、百年しか続かなかったと言われがちだが、むしろ百年も続いたとすべきだろう。人口で圧倒的に劣るモンゴルが中華を百年も支配できたことのほうが不思議なくらいなのだから。

西方では、モンゴルの統治はより長く続き、それはチンギス・カンの血統に対して畏敬《いけい》の念を定着させるに十分な歳月だった。

現在のウズベキスタンのサマルカンドに都を置いた**ティムール**（一三三六～一四〇五年）が、遊牧国家の君主の称号であるカンを名乗らず、チンギスの次男チャガタイ家の血を引く王女の婿となり、アミール・ティムール・キュレゲン（婿の将帥ティムール）と称したのも**モンゴルの威光**を最大限利用するためであった。

モスクワ大公国の、**イヴァン雷帝**《らいてい》ことイヴァン4世も、生母はチンギス家の長男ジョチ家の血を引く女性だった。

一六三六年に、後金《こうきん》の**ホンタイジ**が国号をダイチン・グルン（大清帝国）と改め、クリルタイでボグド・セチェン・カアン（聖なる賢明なカアン）の尊号を贈られたのも、内モンゴルの有力者から大元以来の「伝国《でんこく》の璽《じ》」を譲られたからで、モンゴルの威光は長い時を越えてなお有効だったのである。

【ヨーロッパ帝国を完成できず敗れ去ったナポレオン】

◎フランスで彗星のごとく現われたナポレオン

フランス史上の国民的英雄といえば、ジャンヌ・ダルクとナポレオンの二人がずば抜けた存在である。

ジャンヌ・ダルクは、イングランド王とブルゴーニュ侯の同盟により、フランスが分割の危機にあった状況下に颯爽《さっそう》と現われ、王太子シャルルを盛り立てることで形勢を逆転させた聖少女である。

ナポレオンは、内紛と対仏大同盟の攻勢に苦しむ状況を打破した上に、短期間とはいえ**ヨーロッパ大陸の覇者**となった人物だから、フランス人からすれば非の打ち所がない英雄に違いなかった。

ナポレオンは、地中海に浮かぶコルシカ島の出身である。コルシカ島がイタリアの都市国家ジェノヴァからフランスへ譲渡された際、父が独立運動から離れてフランス陣営に走った関係から、コルシカ島でのナポレオン一家の評判は最悪で、一家を挙げてフランス本土に移住するしかなくなった。

ナポレオンはそれ以前からフランス本土で教育を受け、軍人としての道を歩み出し、イタリア戦線で軍功を重ね、名将と呼ばれる存在と化していた。

内外ともに危機的状況にあるフランスにあって、富裕層たちが何よりも恐れたのは、革命によって得た諸権利を反故《ほご》にされることと、王政復古により国王夫妻を処刑した責任を問われることであった。

それを回避するには、強力な指導者を擁立して、確固たる政権を打ち立てることとあわせて、**対仏大同盟軍を撃退**する必要があった。

そのリーダーになる人選を誤れば、逆に致命傷となりかねない。慎重に調査した結果、彼らの目に適ったのがナポレオンだったのである。ナポレオンは期待に応える活躍を見せ、国内の秩序を回復させるとともに、対仏大同盟軍を国内から一掃した。

その功績を認められたナポレオンは、**第一統領から終身統領**へと昇進。さらに暗殺未遂事件が起きたことから、神聖不可侵の存在にすべきとの世論が高まり、一八〇四年五月には皇帝に即位した。

ここに第一帝政が開始される。同年十二月には教皇《きょうこう》立ち合いのもとで、正式な戴冠式《たいかんしき》も挙行された。

ナポレオン自身に、内政に対する関心があったかどうかは定かでないが、彼の在位中に公布された民法、商法、民事訴訟法、刑法、治罪法は**ナポレオン法典**と総称され、そこには個人主義と自由主義の原理が貫かれていた。

王室と貴族、教会による支配を否定しながら、中央集権的な行政機構を築き、民法では法の前での平等、信仰の自由、私的所有権の絶対と契約の自由の確認などを明記して、財産による社会的、政治的な階層秩序の形成が図られた。これこそ革命の成果を確認及び継承する内容だった。

対仏同盟軍を撃破するには、それまでの傭兵《ようへい》中心を改め、革命によって生まれた「国民」という新しい概念に基づく、徴兵《ちょうへい》での国民軍を柱とした。

「国民」という概念は、国王直轄領で働く臣民か、貴族や教会の所領で働く領民に代わる新たな括りとして、急遽設けられたものであったが、よくも悪しくも世界史全体の流れからすれば、これこそナポレオンの残した最大の遺産であった。

◎常勝から転落したナポレオン

内政はともかく、対外政策に関してはナポレオンの腹一つで決められ、専守防衛ではなく敵対姿勢を見せる相手には先手を打つ好戦的な姿勢が貫かれた。

一八〇五年には、アウステルリッツの戦いでオーストリア・ロシア連合軍を、翌年にはイエナ・アウエルシュタットの戦いでプロイセンを破り、同じ年に八百年以上の歴史を持つ**神聖ローマ帝国**を終焉させた。

一八一〇年にはオーストリア皇女マリー・ルイーズとの結婚も果たし、ヨーロッパ大陸の覇者に相応しい立場に昇りつめた。

この時点でフランス帝国の領域は、現在のフランスからオランダ、イタリア北西部、スロベニアに及び、ドイツ西部とポーランド、スイス、イタリアの残り部分、スペインは従属国、ドイツ東部とオーストリア、デンマーク、ロシアは同盟国という扱いだった。

あとはイギリスを屈服させ、バルカン半島のオスマン帝国領を併呑すればヨーロッパの完全制覇がなる。だが、海軍力に勝るイギリスに勝利するのは容易でなく、ナポレオンは一八〇五年の**トラファルガーの海戦**でそれを思い知らされた。

そこで大陸封鎖令を出し、イギリスを干上がらせる戦術に出たが、ロシアがそれを破る挙に出たことから、ナポレオンの野望に綻びが生じ始める。

スペインで起きた民衆蜂起に対して武力鎮圧を試みるが、それは逆効果となり、スペインでの抵抗運動はイギリスの支援もあって、拡大するばかりとなった。

それを尻目にしながら、ナポレオンはロシアへの遠征を敢行。一時はもぬけの殻状態のモスクワを占領するが、**ロシア側の焦土戦術**に見舞われる。真冬の厳寒に抗う術もなく、撤退を開始したところをしつこく追撃され、ロシア遠征は記録的な大敗北に終わった。

これを境にナポレオンの権勢は一気に弱体化する。それまでがナポレオン個人の資質や直感に拠るところが大であっただけに、フランスの復権は不可能に近かった。

【統一国家となったドイツは遅れて帝国主義に参入した】

◎英仏への対抗心で強引に進められたドイツ統一

ドイツは、二十世紀における二度の世界大戦で大敗を喫し、東西分断の歴史を経験しながらも、今やEUのリーダー格に収まっている。

ドイツの大いなる飛躍の始まりは、一八七一年にオーストリアを排除したかたちで達成された**ドイツ統一**にあった。潜在的な力がありながらドイツがそれを活かせずにいたのは、一度として統一国家が築かれることなく、数十の諸邦からなる緩やかなまとまりがあまりにも長く続いたからで、統一ドイツの最初の課題は**ドイツ国民の創生**にあった。

まずは統一を実のあるものにするのが先決である。宰相の**ビスマルク**は内政重視を貫き、外交面ではヨーロッパ内での戦争抑止と、**普仏《ふふつ》戦争**（一八七〇〜一八七一年）の敗北を屈辱と感じているフランスの報復を回避するために、ヨーロッパ中に縦横複雑な同盟関係網を張り巡らせ、フランスを孤立させることに知恵を絞った。

すでにフランスでは、国民として一体感を持たせることに成功していたが、ドイツとフランスではかなり事情が異なっていた。

ドイツの諸邦はそれぞれに長い歴史と伝統を持ち、住民にドイツ人、ドイツ国民としての一体感を持たせるのは容易でなかった。それにもかかわらず、事を急ぎすぎたのだから、大きな歪みが生じるのは避けがたかった。

ドイツ人こそ、もっとも純粋なるゲルマン民族にして、ギリシア・ローマ文明の正統なる後継者、選ばれた民とする概念の植え付けはその典型的な例と言えた。

大移動開始以前のゲルマン民族の故地が、ユトランド半島から北ドイツにかけてであること、**代々のドイツ王が神聖ローマ帝国皇帝を兼ねていた**ことなどが根拠とされたが、選民がいるからにはその逆も存在するわけで、その役割を押し付けられたのがユダヤ人とスラブ系諸民族及びすべての有色人種だった。

ヒトラーの、反ユダヤ主義やホロコーストの種は、すでに十九世紀の段階で撒かれていたわけで、**近代ナショナリズムと英仏に対するライバル意識**との合体のなせる業でもあった。

◎「目的なき帝国主義」と化したドイツ

十九世紀末は、帝国主義時代の真っただ中である。**ドイツも遅ればせながら参入**するが、どの列強の手垢《てあか》もついてない地は少なく、ビスマルク時代に獲得できたのは西南アフリカと太平洋のいくつかの島だけだった。

他の列強との衝突を回避する意味から、強引な手段を取らずにいたが、一八九〇年にビスマルクが引退して、**ヴィルヘルム2世**による親政が開始されるとともに、ドイツの外交と軍事政策は大きく転換する。

イギリスの産業革命が、軽工業からスタートしたのに対し、ドイツのそれは最初から重工業に始まり、ドイツ統一とともに加速度的な発展を見せ、十九世紀末までに**イギリスを脅かす工業国に変貌**を遂げていた。

労働力不足から、それまでの移民の送り出し側から労働力の受け入れ側へと転じ、工業製品の輸出市場拡大も求められた、そうなると海運弱小国のままでいるわけにはいかず、その分野でもイギリスを急追するかたちとなった。

ヴィルヘルム2世の外交が「新航路」政策と呼ばれた背景には、このような事情があったわけで、仮想敵国はフランスからイギリスへと変わり、それにともない近海用の艦船しかない海軍では役に立たないとして、海相ティルピッツの主導のもと一八九八年を最初に四次に及ぶ艦隊法が制定され、**海軍力においてもイギリスを猛追**した。

一八九七年末に外相に就任したビューローが帝国議会で最初になした演説は、その後のドイツ外交の指針を明確に表明するものだった。

「ドイツが、他国に大地と海洋を委ねた時代は終わった。われわれもまた陽のあたる場所を要求する」

この言に違わず、ドイツはイギリスとの協定で、東アフリカのザンジバル地域を獲得したのに続いて、対米戦争に敗れたばかりのスペインから、太平洋のマリアナ・カロリン両諸島を買収した。

サモア諸島の一部を手に入れて足掛かりをつくると、中国から膠州湾《こうしゅうわん》の租借権を獲得。さらに義和団《ぎわだん》事件で揺れる中国北京への大規模な派兵にも踏み切るなど、**積極外交を展開**した。

けれども、オスマン帝国領内への進出、及びフランスとスペインが利権を持つモロッコへの強引な干渉は、英仏露を刺激して、**ドイツ包囲網（三国協商）の成立**を促すこととなった。

ドイツは、今さらながらやりすぎを自覚するが、時すでに遅く、同盟関係を結んでくれる相手はもはやかつての仇敵オーストリア＝ハンガリー帝国しかなく、これにオスマン帝国が加わるのは第一次世界大戦が勃発してからだった。

顧みれば、ドイツの植民地獲得は実利実益を度外視したものばかりで、獲得自体が目的と化しており、**「目的なき帝国主義」**と揶揄《やゆ》されるのも無理はなかった。そうして得た植民地さえ、第一次世界大戦の敗北ですべてを失った。日本はドイツが中国の山東省《さんとうしょう》に持っていた権益を継承し、赤道以南のパラオやマーシャル諸島の南洋諸島を委任統治領として譲り受けた。

ともあれ、経験に勝る学習方法はなく、二度の世界大戦を通じてドイツはもちろん、ヨーロッパの他の国々も、**ヨーロッパ内での戦争は不毛でしかない**との点で見解の一致を見て、その考えが現在のＥＵにつながるのだった。

【二つの世界大戦に乗り出した意味 非干渉を謳うアメリカが】

◎大戦後の有利なルール作りのために参戦したアメリカ

アメリカは世界の警察官の役割を辞める。トランプ大統領のこの発言は、思いのほか冷静に受け止められた。

前言撤回どころか、言った覚えはないと平然と言い切る人物だけに、みな慣れっことなり、ツイッター上での個々の発言に条件反射をすることを辞めてしまったからである。

現にシリア内戦に介入したかと思えば、イラクとアフガニスタンからの完全撤退が実現されていないこともあり、当面のアメリカ外交に、歴史的大転換はないとの見方が広まりつつある。

意外に思われるかもしれないが、トランプの掲げる一国主義は決してイレギュラーなものではない。そもそもアメリカの歴史は二百三十余年といまだ浅く、そのうち約半分の歳月ではモンロー主義と称される**孤立政策**が貫かれていた。

一八二三年十二月二日、大統領モンローは連邦議会あての年次教書で、アメリカとヨーロッパは相互不干渉の関係にあるべきと説き、以来それが伝統的な外交方針として踏襲された。

アメリカはヨーロッパの政情に干渉しないから、ロシアを含むヨーロッパ諸国もアメリカ大陸に干渉するなということである。

アメリカには、いまだフランスやスペインの利権が残っていたことから、完全履行とはいかなかったが、おおむねアメリカ側の主張が通ったことは間違いなく、アメリカ側もヨーロッパ内の政争に関与しようとはしなかった。

ただ、バルカン半島が火薬庫と化し、ナポレオン戦争以来の大規模戦争が眼前に迫ると、アメリカもまったく不干渉というわけにはいかなくなった。英仏に多額の投資や融資をしていた関係上、英仏露の連合国の敗北は何としてでも避けねばならない。とりわけウォール街からの圧力は強く、中立を宣言していたウィルソン大統領もそれには抗えず、一九一七年二月一日にドイツが無制限潜水艦戦の宣言をした機会を捉え、**ドイツとの断交**をもって応えた。

さらに同月後半、ドイツがメキシコに軍事同盟を提案していた事実が発覚したのに続き、ロシアで革命が勃発するに及んでは、ウィルソンも腹をくくるしかなく、四月二日の議会において、「世界を民主主義にとって安全な場所にするため」という大義名分のもと宣戦布告の承認を要求した。現実には、大戦後の新たな世界経済のルール作りにあたり、強い発言権を確保することを狙っていた。

◎第二次世界大戦を勝利に導いた圧倒的な工業力

第一次世界大戦終結後、アメリカはモンロー主義に回帰した。新たに設立された国際連盟に加盟しなかったのは行動の自由を確保したかったからで、再びヨーロッパと距離を置いたのは、**変わろうとしないヨーロッパに幻滅**したからであった。

多くのアメリカ国民は、他人事の戦争に首を突っ込んで無用な汗と血を流すことを嫌い、歴史上未曽有の好景気に沸く本国で、快楽と消費に身を委ねる道を選んだのだった。

一九三〇年代末、東アジアとヨーロッパ情勢がきな臭くなっても、アメリカの世論調査では参戦に反対の声が三分の二弱を占めていたが、ウォール街を中心とした財界の考えは異なり、日本による中国市場の独占とイギリスの敗北は何としてでも避けねばならず、それと同時にようやく築き上げたアメリカにとって、都合のいい世界経済のルールを改めさせるわけにもいかなかった。

一九二九年に始まる大恐慌の影響は、ニューディール政策の導入後もまだ残っていたが、それもアメリカが第二次世界大戦への参戦と軍備の急速な増大を決めると完全に解消された。

すべての生産ラインをフル稼働させるためには、労働力はいくらあっても足りないくらいで、これによりわずか数年でアメリカ軍所有の艦船、戦闘機、戦車は桁違いにまで増え、ヨーロッパと太平洋の二正面作戦も苦にはならなくなった。それくらいアメリカは**潜在的な工業生産力**を有していたのである。

太平洋戦争の開戦前に、日本軍首脳の多くはそれを予測しえず、開戦当初の快勝に酔い痴れ、作戦指導は最後まで不適切を極めた。

日本も中国相手に泥沼にはまっていたから二正面作戦ではあったが、それは陸軍だけの話で、海軍はアメリカ軍相手に専念できたはずである。だがアメリカが底力を発揮すると、わずか数年にして艦船と戦闘機の質量ともに大きく引き離されてしまった。

ミッドウェー海戦で頼みの機動部隊を失ってからは制海権と制空権の両方を失い、一九四四年中には南太平洋はもとより、フィリピンや台湾との往来さえままならなくなった。

ヨーロッパではイタリアに続いてドイツも降伏。だが、ベルリン入城ではソ連軍に先を越され、アメリカはヒトラーの生死とその最期については一切情報を提供してもらえないなど、早くも大戦終結後に到来する冷戦を予感させる空気が醸成されていた。

ともあれ、一九四五年八月十五日時点で、核兵器を保有するのはアメリカだけで、主要戦勝国のなかで本土が一切戦災を被っていないのもアメリカだけだった。

軍事力でも工業生産力でもずば抜けた存在となったアメリカにとっての不安材料は、政治・経済体制からして相容れないソ連だけであった。

そのソ連が東欧を席巻するのを見ては、西ヨーロッパのテコ入れをしないわけにはいかず、ここに共産主義・社会主義体制の東側陣営と、資本主義・自由主義体制の西側陣営という対立の構図ができあがり、それが一九八九年十一月九日のベルリンの壁崩壊まで続いたのだった。

歴史上の日本では

◎古代東アジアの中の日本

邪馬台国《やまたいこく》の遺使から蘇我《そが》氏の台頭まで、西暦にして三世紀後半から六世紀末までの日本史には不明瞭な点が多い。

どこまでが神話で、どこからが歴史なのか。誰以降が実在した大王（天皇の前身）かもわからない状況では、朝鮮半島との関係についても『日本《にほん》書紀《しょき》』の記述を鵜呑みにするわけにはいかない。

現存する石碑などから考えると、五世紀の朝鮮半島には高句麗《こうくり》、百済《くだら》、新羅《しらぎ》の三カ国と、伽《か》耶《や》とか加羅《から》と総称される小国家群の四勢力があった。『日本書紀』では任那《みまな》と総称される十カ国からなる連合体が、伽耶にあたると見て間違いないだろう。

現在の中国吉林《きつりん》省に残る、四一四年に創建された広開土王《こうかいどおう》（好太王《こうたいおう》）の碑文には、高句麗の広開土王（在位三九一～四一二年）が南進して、百済と通じた倭《わ》軍、安羅《あら》、任那加羅を討った記事や、新羅を助けるため南下して倭軍を攻めた記事、北上してきた倭軍を撃退した記事などが記されていることから、日本から派兵が行なわれていたことも間違いなさそうである。

ここに名の出た安羅と任那加羅は、ともに加羅を構成した小国で、安羅の名は『日本書紀』にも任那を構成する十カ国の一つとして登場する。

古い歴史教科書には、大和《やまと》朝廷が任那に日本府という役所を設け、同地を実効支配していたと記されているが、現在ではその説をまるまる支持する研究者はなく、鉄資源目当ての頻繁な往来と同盟関係を認めながら、派兵はあくまで同盟関係に由来し、日本府は安羅に置かれた出先機関との見方に落ち着きつつある。

どういう経緯にせよ、五六二年に大伽耶（高霊《こうれい》）が新羅に併呑されたことによって伽耶は滅亡。六六〇年には百済の国王が唐・新羅連合軍に捕らえられ、六六三年に百済残党と日本の連合軍が**白村江《はくすきのえ》の戦い**で唐・新羅連合軍に惨敗を喫したことを最後に、大和《やまと》政権は朝鮮半島から完全に手を引き、それ以降は専守防衛に方針を変えた。攻撃的なエネルギーはもっぱら陸続きの東国に向けられるようになった。

朝鮮半島が新羅によって統一されてからも、公式のやり取りはなく、往来は民間の商船のみで、それとは対照的に高句麗の遺民たちにより、現在の中国遼寧《りょうねい》省から吉林省にかけて築かれた渤海《ぼっかい》国とは親密な関係を結び、使節が来日するたび大いにもてなしていた。

◎多民族国家としての日本

日本から朝鮮半島に渡る者もあれば、そのまた逆に人材の引き抜きや亡命というかたちで**日本に定住した朝鮮半島出身者**は相当な数に及び、畿内や関東の地名や古社の由緒などからもその痕跡をうかがうことができる。

日本では律令制度の整備にともない、帰化人という名称が生まれるが、それ以前の呼称は不明なため、昨今では渡来人と呼ぶことが多い。

秦氏《はたし》や東漢氏《やまとのあやうじ》がその二大潮流で、どちらも血縁集団ではなく、出身地ごとに与えられた便宜上の姓と思われる。

遣隋使《けんずいし》の大半は、彼ら渡来人の二世、三世によって占められ、桓武天皇《かんむてんのう》（在位七八一〜八〇六年）の生母である高野新笠《たかののにいがさ》も渡来系なら、蝦夷《えみし》討伐で名を挙げた坂上田村麻呂《さかのうえのたむらまろ》もまた東漢氏の後裔だった。時代は下って、戦国時代に山口を中心に大勢力を築いた大内氏は百済王の後裔。四国で覇を唱えた長宗我部元親《ちょうそかべもとちか》も秦氏の後裔と称していた。

現在も埼玉県日高《ひだか》市に鎮座する高麗《こま》神社の宮司は、高句麗の後裔として旧来の姓を継承しているが、これは例外中の例外で、大半の者は自分の遠い先祖のことなどまったく知らないまま日本の中に溶け込んで生活を送っている。

それから長らく、日本列島に居住する少数民族と言えば、北海道のアイヌ、沖縄の琉球人、樺太《からふと》のウィルタとニブフくらいで、わずかながらコーカサス系白人の後裔もいたかもしれない。

近代以降は多様性が増し、小笠原《おがさわら》諸島にはポリネシアやミクロネシアからの移民が定住。また日本の帝国主義政策の盛衰にともなって、日本国籍を取得した朝鮮、中国大陸、台湾出身者も多く、ロシア革命から逃れてきた白系ロシア人のなかには、ウクライナ人やベラルーシ人も混ざっていた。白系というのは共産主義を象徴する赤に対抗して白系と呼ばれた人たちだった。

本来なら、彼らは日本の中の少数民族に数えられるべきだが、日本では単一民族という神話に執着する人びとが根強く存在するため、縄文人の遺伝子を色濃く残すアイヌや琉球《りゅうきゅう》人にしても、少数民族という表現が避けられがちである。

民族という概念は抽象的で、明確な線引きのできないものだ。旧ユーゴスラビアを例に挙げれば、セルビア人とクロアチア人、ボシュナク人は同じ言葉を話しながら、宗教・宗派の違いにともない、文字や生活習慣が異なることから、国際的にも別個の民族として扱われている。こうした国際基準に照らせば、**日本も明らかな多民族国家**であることは疑いない。

とはいえ、帰化した人びとが最初から日本社会に溶け込む努力をしてきたのとは異なり、昨今は出身地ごとに集住して、日本社会のルールを無視するケースも目立っていることから、それが近隣トラブルに留まらず、ヘイトクライム（嫌悪犯罪）を誘発する一因ともなっている。

◎「恨」の国・韓国の実情

韓国人の国民性を表わすものとして、しばしば「恨《ハン》」という言葉が取り上げられる。ほとんどの日本人はこれを「恨《うら》み」と受け取っているようだが、実際に韓国人と接しているとどうもそうではなく、愛憎両面の強さを示す言葉のようである。

その韓国が、日本からの独立にあたり、大きなミスを犯した。儒教精神に基づくのか、初代国家元首に独立運動家としての経歴がもっとも長い李承晩《イスンマン》を据えたのがそれである。

当初の目論見では国家元首である大統領は名誉職にすぎず、実際の政治運営は議院内閣制のもとで行なう予定だった。これに猛反対したのが李承晩で、大統領に強い権限を持たせない限り、就任を拒否するとまで主張。長老を重んじる儒教精神が災いして、李承晩のわがままを受け入れたことが、現在に続く韓国政治の混乱の始まりとなった。

アメリカで亡命生活を送ること三十余年。李承晩の日本への憎悪は強まるばかりで、それが反日教育と日本に対する強硬姿勢という形で露骨に示されることとなった。

李承晩が国民の支持を失い、退陣に追い込まれたのち、混乱を収拾させたのは満州国軍士官学校出身の朴正熙《パクチョンヒ》による軍事政権で、一九六五年に締結された日韓基本条約は多分に朴正熙の満州人脈を通じた、自由民主党大物との個人的親交の産物だった。

軍事政権下で結ばれた国際条約であるから、当然民意は反映されていない。その悔しさが日本に対する強烈なライバル心となり、さらには現在の慰安婦問題や徴用工問題につながるのだった。

韓国で反日の声が高まるのは、経済危機や政情不安の時期と重なることが多いが、デモや不買運動が行なわれる一方で、実際に訪韓した日本人の多くは報道と実情のあいだにかなりの差、個人的な感情においても大きな温度差があることを実感している。

そもそも「反日」と「親日」の両極に分ける見方がおかしいわけで、現在の日本人に必要なのは、悪意あるフェイクに惑わされることなく、ファクトを見極める力を養うことだろう。

現に日本の若年層、特に女性にはそれができている人が多く、ドラマや音楽、ファッション、グルメなどにおける韓流《はんりゅう》人気は健在である。

◎現代日本にとっての軍事的脅威

現在のところ、日本にとってロシアは軍事的脅威とは捉えられておらず、**主な脅威の対象は北朝鮮と中国**である。

中国の軍事費は、過去十年で八三パーセント増を記録しており、海軍の強化に加え、今後はＡＩ兵器の開発にも力を注ぐものと見られている。

中国の軍拡路線は、覇権志向だけで説明のつくものではなく、共産党による一党独裁の維持と面子の問題が絡んでいるように見受けられる。

色褪せた共産主義に代わり、中華民族と愛国心を求心力の柱に据えたことで「**強い中国**」でい続けねばならなくなった。アメリカからどんなに圧力を受けようとも、国民に弱腰姿勢を見せるわけにはいかない。面子を守るためにも、強い態度の裏付けとなる軍事力の増強をやめられないのだ。

一方の北朝鮮の脅威は、日本国内にアメリカ軍基地があるからで、北朝鮮が戦争を仕掛ける優先順位をつけるとするなら、一番はアメリカ本土のワシントンかニューヨークもしくは韓国の首都ソウルとなろう。

アメリカ本土への攻撃は、核兵器搭載の大陸間弾道弾によるしかなく、韓国相手であれば陸海からの侵攻となるはずだ。在韓アメリカ軍が完全撤退すれば、韓国の敗北は必至と見る声も

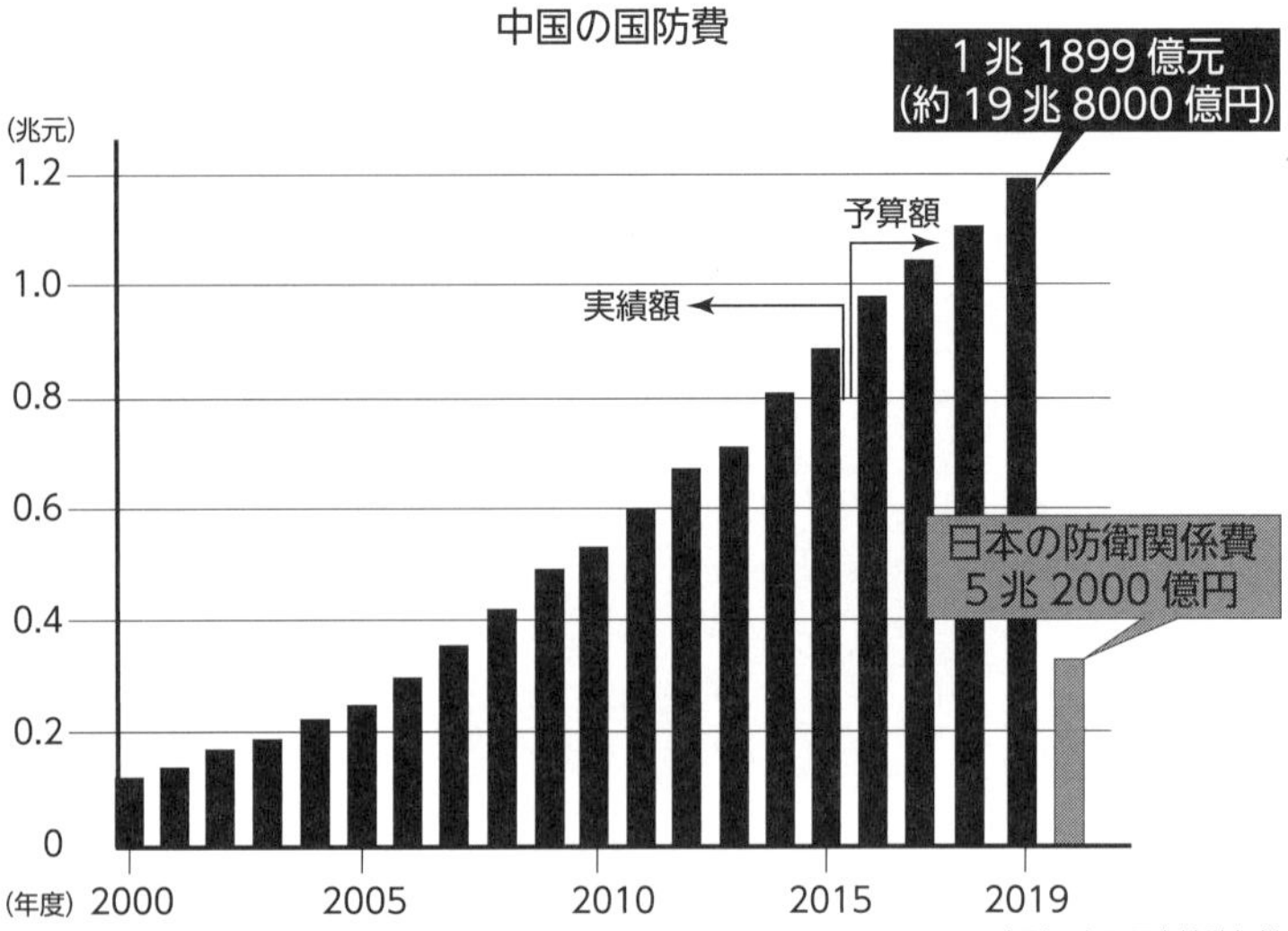

強いが、アメリカ軍と同様の平常武器を装備する韓国軍が、そうはならないとの考えもある。

ただ、韓国の首都ソウルが軍事境界線に近く、砲弾の射程圏内にあり、多くの日本人は、なぜもっと南に遷都しないのかと疑問を抱いているに違いない。

この問いに対しては、緊張を絶やさないためと説明されることが多いが、実際は風水《ふうすい》思想へのこだわりとする声も根強く囁かれている。

第6章

「生存圏」を確保するための覇権

世界の
今を考える

◎アメリカの経済制裁で揺らぐ北朝鮮

超大国のアメリカを、もっとも苛立《いらだ》たせている国はイランかそれとも朝鮮民主主義人民共和国（北朝鮮）か。

両国に共通するのは核開発を進めていることで、北朝鮮に至ってはすでに核保有国になったとされている。

これで大陸間弾道弾が大量に製造されれば、アメリカ本土全体が射程距離に入ってしまうのだから、アメリカが苛立つのも無理はない。相手がロシアか中国ならともかく、東アジアの小国だからなおさらである。

一方の**金正恩**《キムジョンウン》と朝鮮労働党にしてみれば、これまで行なった一連の威嚇《いかく》は火遊びの類ではなく、生き残りをかけた危険な綱渡りであった。

通常兵器では韓国軍には勝てても、アメリカ軍を相手に勝ち目はない。中国かロシアが同盟を組んでくれれば別だが、第三次世界大戦を覚悟してまで両国が参戦してくれるとは思えず、単独でアメリカ軍に挑むには大量破壊兵器を用いるしかない。

実際に使用するかどうかはともかく、攻撃能力を示すことでアメリカの行動を牽制することは可能で、金正恩と朝鮮労働党としては、アメリカが態度を軟化させ、**経済制裁を解除**もしくは大幅に緩めてくれるだけで十分というのが正直なところだろう。

漏れ伝わる情報によれば、一般庶民ばかりか兵士までが飢えに苦しんでいるという。

優遇されるはずの兵士でさえそうならば、命の危険を賭してでも脱北を試みる者が絶えないのも無理はない。北朝鮮の経済が非常に厳しい状態にあるというのは、日米の希望的観測ではなく、九九パーセント以上の確立で実話であろう。

本来なら、日米韓で歩調を合わせるべきところだが、韓国で**文在寅**《ムンジェイン》が大統領になると従軍慰《じゅうぐんい》安婦《あんふ》問題や徴用工《ちょうようこう》問題が再燃。**日韓関係の悪化**がそれを許さず、北朝鮮を利する結果となっている。すべては北朝鮮の仕業とする陰謀論も一部で上がっているが、あまりにもタイミングがよすぎるため、つい信じたくもなる。

とはいえ、日韓両国間に多くの課題が残されたままであることは認めざるをえない。トルコとアルメニア間にあるそれと同等かそれ以上の。

国際政治は、表面だけを見ていたのではわからない点が多く、相手国について詳しいはずの政治家や外交官、ジャーナリストであっても、こぞって欺《あざむ》かれるか読みを誤ることがある。

真相が明かされるのは、数十年先ということも多く、われわれ自身がフェイクやガセに踊らされず、ファクトを見極める目と客観的な思考、情報分析力を養うことが求められている。

◎先進国の廃棄食糧で世界は救える

二〇一九年十月十一日付けの学術誌『サイエンス』に「自然の恵みの全世界モデリング」と題した論文が掲載され、「自然破壊のせいで、今後数十年間のうちに、世界で最大五十億人もの人々が食料と水不足に直面する。特に影響が大きいのはアフリカと南アジアだ。また、沿岸部に暮らす何百万という人々が、激しい嵐のせいで危険にさらされる」との予測が発表された。

食料問題では、売れ残りや残飯を大量に廃棄する国や地域がある一方で、飢餓線上を彷徨《さまよ》う人びとが十億人単位で存在している。人類全体で平均化すると、廃棄する食料で飢餓線上の人をほぼ救えるという。

途上国がのきなみ経済成長を遂げれば、数十年先には**絶対的な食料不足と水不足**に直面することは間違いない。

食料で問題なのは主食とされる穀物ではなく、人体にとって効率の良いエネルギー源であるタンパク質のほうだろう。**海産物の減少**はすでに漁獲高によって明らかになっている。漁獲量を制限しても、日本で出回っているカニの大半がロシア船による密猟の産物という現実に鑑みれば、期待するほどの結果を出せるか疑問である。

肉のほうはさらに深刻で、鶏肉はまだしも、牛や豚を市場に出せるまでに育てるには大量の飼料と時間が必要である。食用家畜が増えれば、それだけ必要な飼料も増えるわけで、飼料の原料となる穀物不足が生じるのは必定だろう。それが食肉の価格を押し上げ、肉食は庶民にとって縁遠いものとなる可能性がある。

だが、それを補うものの目星はすでにつけられている。餌代が安く、成長も速い昆虫がそれである。現在の日本では、昆虫はイナゴくらいしか食べられていないが、東南アジアなどではゴキブリやタガメ、アフリカや南米では幼虫がよく食べられている。

海老《えび》やカニが好きな日本人であれば、味覚が似た**昆虫食**にもすぐ慣れるのではないだろうか。二〇二〇年一月に、JR高崎《たかさき》駅構内の土産《みやげ》ショップで、タイで養殖した食用コオロギパウダーを使用したゴーフレットを売り出したところ、飛ぶように売れたという実績がある。

むしろ一番の問題は、飲料水だろう。環境破壊のせいで飲用に適した水の絶対量が減っているのだからなおさらで、水の浄化に関して画期的な技術革新でも起きない限り、数十年先には水源の確保に起因する戦争さえ起こりかねない。

何をせずとも安心して飲める水を増やすには、これ以上の**環境破壊を防ぐ**とともに、**水質改善への取り組み**も必要とされるわけで、それには国際的な協力が不可欠となる。河川の多くはいくつもの国を貫いて流れているのだから。

先進国で**食品ロス**を減らす取り組みが始まったのは、数少ない明るい材料である。値引きして売るより廃棄を義務付ける悪習はまだ残っているが、そのような企業には行政による指導を待つだけでなく、社会的な圧力をかけることも必要であろう。

◎人口膨張で食糧危機に直面する世界

国連の経済社会局によれば、二〇一九年六月時点の世界人口は七十七億人を数え、**二〇五〇年には九十七億人**に達し、サハラ砂漠以南のアフリカでは、現在の二倍に増えると予測されている。二一〇〇年頃には百十億人に達し、そこで頭打ちになるとのことだが、そうなる前に食料事情が逼迫することは避けられまい。

増加する二十億人の半分以上はインド、パキスタン、インドネシア、エジプト、ナイジェリア、コンゴ民主共和国、タンザニア、アメリカの九カ国に集中する見通しである。

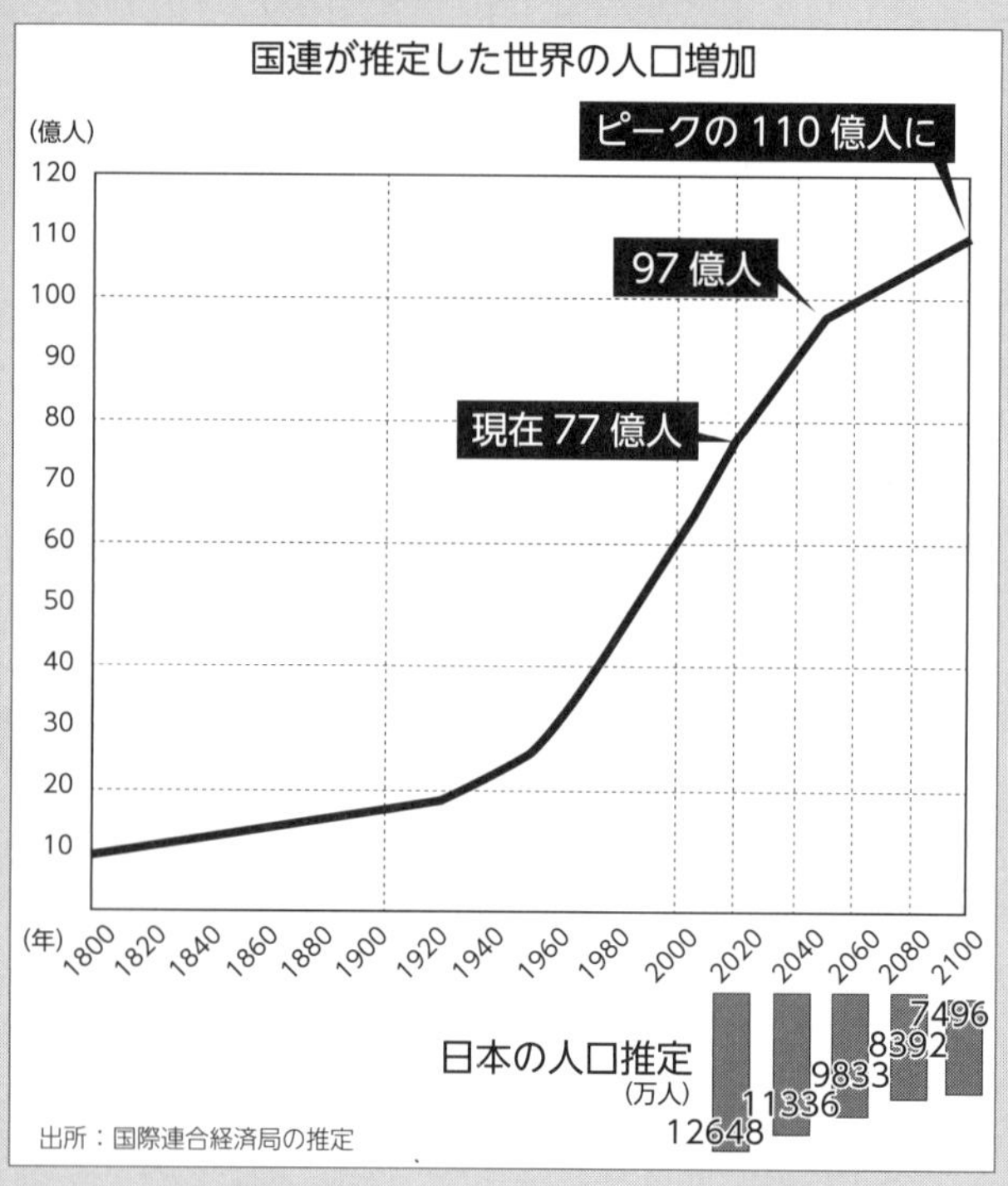

現在世界最多の人口を擁する中国はすでに減少に転じ、またドイツ、イタリア、ハンガリー、セルビア、エストニア、ロシア、ベラルーシ、ウクライナ、日本では死亡数が出生数を上回りながら、移民の流入によって相殺《そうさい》されるとも予測されている。

サハラ砂漠以南での人口爆発は近年始まった現象ではなく、アメリカ大陸原産のトウモロコシや

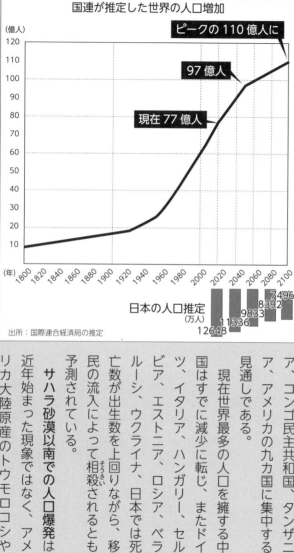

キャッサバを主食とする地域が多いことを考えれば、列強の植民地であった時期からとすべきだろう。

多産多死時代の慣習から抜けきれず、それでいながら国際的な支援による医療・衛生事情の改善があって、人口が爆発的に増えているわけで、他国の例を見ても明らかなように、教育水準が高まれば出生数も減少に転じるはずである。

問題はそれまでの間、いかに水と食料を確保するかで、もっとも懸念されているのが最大時五十億人の人口を抱えることになる南アジアとアフリカである。

先進国のようなインフラが整っておらず、環境保護に関する意識が欠如している状況では、**啓発と技術者の養成**から始めなければならず、そのためには為政者と官僚たちの意識も変えなければならない。

汚職と縁故が蔓延する両地域で、それを推進するのは非常に困難なことだが、今から手をつけなければ、先に待つのは生き地獄のみだ。

海外からの援助にすがるばかりでは根本的な解決にはならず、国際社会による支援の在り方も緊急事態を除いては長期的展望に立ち、かつ自助努力を促す方向に改めていくことが必要であろう。

世界の古代文明

農業生産の治水が生存の鍵だった

◎四大文明という概念は過去のものに

歴史教科書から消え去った**四大文明**という言葉は、いまだ日本の中高年の間では生き続けている。現実の古代文明は同時多発的に二十以上の地域で発生し、今後発掘調査が進めば、その数はさらに増えるに違いない。

それではなぜ四大文明という言葉がなお生き続けているのだろうか、それはわかりやすさにある。大規模な農業を行なうには大量の水が不可欠で、それには大河川の存在が欠かせないという前提があり、早くに発掘調査の行なわれた**四つの大河文明**が特別視されたのだった。

河川から水を引くにしても、大規模な水利施設の建設が不可欠で、その作業を行なうには強力なリーダーが必要となる。そのリーダーが世襲化されるようなったことで**古代王国**が生まれた。たしかにこの説明はわかりやすく、筋も通っている。

中国の長江《ちょうこう》流域に、最古の水稲栽培跡や青銅器文明の遺物が多数発見されたとき、これを第五の大文明とする声もあったが、日本の教育界では**黄河《こうが》文明**とこれをあわせ中国文明と呼び変えることで、四大文明の名を守った。

けれども現実には、南米のアンデス文明やイランのトランス・エラム文明など、時期的にも規模の点でも四大文明に引けを取らない文明がいくつも存在したことがわかっている。ナイル河や黄河規模の大河川でなくとも、湖沼や雪解け水、地下水だけを頼りとしながら農耕と大規模集落が成立しえたことが明らかとなりつつある。

だが、ナイル河と他の河川では事情が異なる。ナイル河だけは毎年同じ日に増水、減水が始まる。氾濫といっても緩やかなので、死傷者が出ることもない。水が引いたあとは土壌が再生されているから、肥料を散布をする必要もなく、よほどの異常気象か火山噴火にでも見舞われない限り、かなり高い確率で豊作が約束された。

チグリス・ユーフラテス河やインダス川、黄河では、肥沃な大地は危険な洪水・氾濫と隣り合わせだった。そのせいか黄河文明の都市遺跡として発見される場所は、黄河支流の近辺ばかり。本流近くの都市はすべて跡形もなく、流されたか避けられたことがうかがえる。

インダス文明は、四大文明のなかでは比較的地味な存在だが、実は四大文明のなかで文明圏の広さが一番だった。モヘンジョ・ダロやハラッパーのように、インダス川のすぐ近くで発見された遺跡もあれば、ドーラビーラやロータルのように流域とは呼べないような遠隔地からも、同質の都市遺跡や遺物が発見されているからで、この例からも明らかなように、四大文明や大河文明という呼称はあくまで一つの目安と考えたほうがいい。

◎治水こそが為政者として最大の務め

エジプトのナイル文明を除いては、大河を制御しないことには食糧の安定確保ができなかった。治水が大きな鍵であったわけで、中国の神話伝説はそのことを如実に物語っている。

前漢の司馬遷《しばせん》が著わした『史記《しき》』によれば、堯《ぎょう》という聖帝の治める時代でも度重なる洪水に悩まされていた。四嶽《しがく》という地方官たちに問うと、こぞって鯀《こん》という人物を推挙したので、試しにやらせてみた。九年が過ぎ堯の後継者となった舜《しゅん》が視察に赴くと、まったく上手くいっていなかったので、鯀を流刑に処し、鯀はその地で死ぬこととなった。

後任に据えられたのは鯀の子の禹《う》であった。禹は父の無念に鑑みて、十三年ものあいだ自宅の前を通っても中に入ることなく、質素な生活を送り、浮いた費用も治水事業にまわすなど、文字通り身を粉にして与えられた職務に没頭した。

険しい山中に分け入ることも泥濘《でいねい》に足を踏み入れることも厭《いと》わず、みずから最新の計測器を手に現場の指揮を執るかと思えば、行く先々の民政にも心を砕き、ついに黄河とその主だった支流を治めることに成功した。禹はこの功績を認められて、帝舜から後継者に指名され、夏《か》王朝の祖となったというのが、『史記』に記された内容である。

以上はあくまで伝説であるが、黄河だけでなく長江と中国第三の大河である淮河《わいが》の治水が中国歴代王朝にとって大きな課題であり続けたことに変わりはなく、歴代王朝の多くが洛陽《らくよう》や開《かい》封《ほう》など黄河中流域の本流近くに都を置いたのも水運上の利便性に加え、治水への力の入れようを天下に示す意図も込められていたと見るべきだろう。

黄河で洪水・氾濫の恐れが高かったのは中流域から下流域の入り口あたりまでで、ひとたび水が溢れ出せば、少なくとも日本の関東地方に相当するくらいの広範囲に被害が及んで死傷者も多く出れば、向こう数年間は収穫が期待できず、朝廷としても救済と同時に免税措置を行なわざるをえず、経済的な負担が甚大だった。

それよりは巡察と改修を怠らず、洪水・氾濫を未然に防ぐほうがはるかに安上がりというので、皇帝みずから巡察に出向くことも珍しくなかった。

前漢《ぜんかん》の武帝《ぶてい》は、前一〇九年に行なった巡幸にあたり、前一三二年に黄河が決壊した地点を訪れ、白馬と黄璧を沈める祭祀を行ない、司馬遷もその場に立ち会っている。

清の康熙帝《こうきてい》(在位一六六一～一七二二年)が、治水を内政の最重要課題として六度も南巡に出向いたのも、三大河川の治水状況を確認するためで、乾隆帝《けんりゅうてい》(在位一七三五～一七九六年)もそれに倣《なら》っている。常に目を光らせておかねば、経費を懐に入れ、手抜き工事で済ます地方官が現われないとは限らなかったからだ。

その黄河で、近年は別の問題が生じている。工業用水として利用するため、不法に水を引く業者が後を絶たず、河口まで流れ着く水の量が激減しているのだ。

何かと批判の多い習近平《しゅうきんぺい》政権だが、ロシアのプーチンがそうしているように、法を犯す者には超法規的な厳罰を下すことも必要だろう。

【世界史が長く経験した食糧獲得のための略奪】

◎肥沃な土地を求めての攻防

深刻の度を増すばかりの**パレスチナ問題**。その要因の一つとして**パレスチナ自治区**内への**ユダヤ人の入植**が挙げられる。それも水源など環境に恵まれたところからアラブ系住民を強制立ち退きをさせてのことだから、なおさら質《たち》が悪い。

イスラエル政府が、こうまで傍若無人《ぼうじゃくぶじん》な行動に出る背景には、ソ連の解体とともに想定をはるかに超えるロシア系ユダヤ人が移住してきたことが挙げられる。早くから来た移民たちには既得権を手放す気も分け合う気もないため、占領地の土地をあてがうしかないとして、自治区のヨルダン川西岸やシリア領のゴラン高原への入植が推進されているのである。

イスラエル政府は、世界中のユダヤ人に帰還という名目での移住を奨励してきた。そのため住む場所と仕事を世話せざるをえず、国際法違反を承知で強引に事を運んでいるのだった。

人類の歴史では、これと同じような比較的肥沃で農業生産が期待できる土地を巡る攻防が、**定住農耕生活**の開始時から幾度となく繰り返されてきた。狩猟採集の時代でも果実が多く取れる場所、鳥獣の多く生息する場所を巡っても、同様の争いがあったはずである。

紀元前でもっとも争奪の激しかった場所は、西アジアの「肥沃な三日月地帯」と呼ばれる地域であったかもしれない。狭義ではパレスチナからシリア砂漠の北を迂回してメソポタミア一帯に及ぶ三日月形の回廊で、広義ではメソポタミア南部からシリア砂漠の北縁をなぞるかのように、イラン高原、イラク北部、小アジア南東部、レヴァント地方（東地中海沿岸地方）、さらにはエジプトのナイル・デルタにいたるまでの一帯を指す。

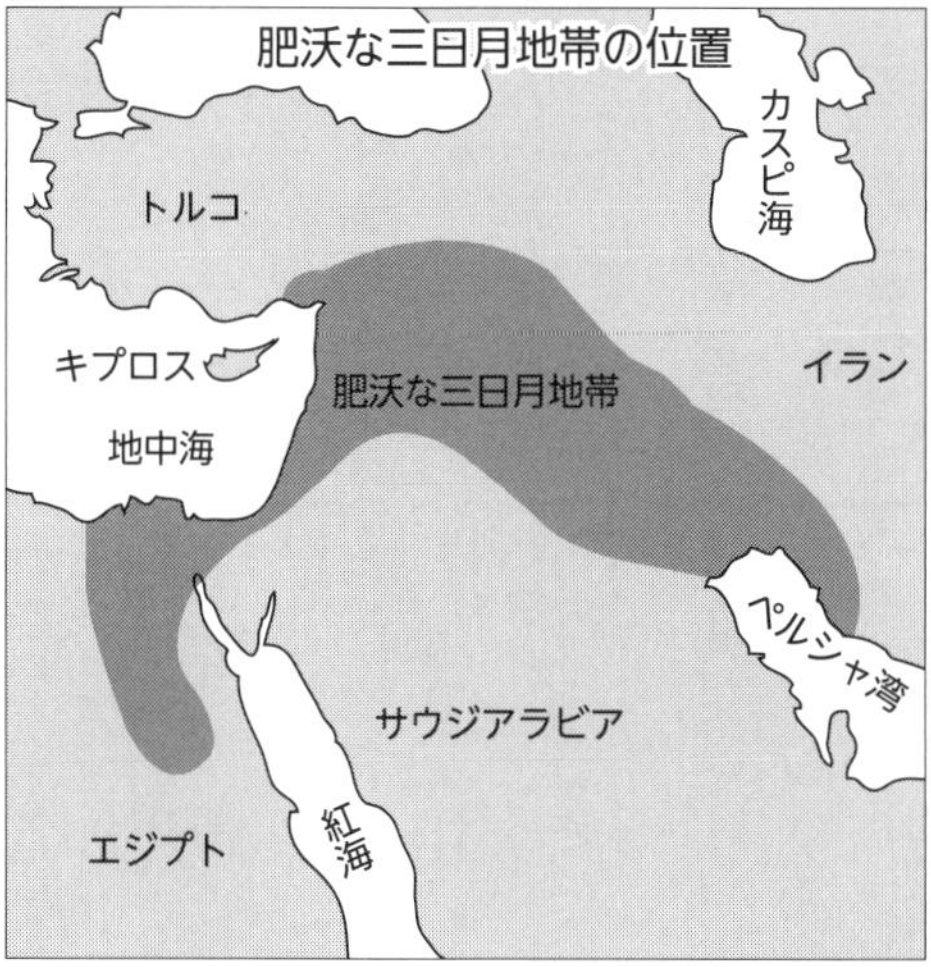

このなかでナイル・デルタとメソポタミア南部を除けば、他はあくまで相対的に肥沃な地域にすぎず、中国の大河流域には遠く及ばない。それでも砂漠や荒野の多い西アジアにあっては恵まれた土地で、古来多くの民族が興亡を繰り広げていた。

現在のイスラエルとパレスチナ自治区に相当する地域はカナンと呼ばれ、水資源は雨水と雪解け水を頼りとしながら、レヴァント地方のなかでは環境に恵まれていることから、激しい争奪の地と化していた。

『旧約聖書』では、カナンを古代イスラエル人が神から約束された地としているが、それは神話にすぎず、外来の諸民族のなかで最後まで勝ち残った者たちが始祖神話を共有。言語や生活習慣を同じくするようになったというのが、史実に近いのではないだろうか。

一方、メソポタミア南部には、四方からさまざまな集団が押し寄せ、目まぐるしく支配者が変わった。メソポタミアから見て南方というのはアラビア半島のことで、同地が人口過剰になった場合、進むべきは北方しかなく、肥沃なメソポタミア南部を目指すのは自然な流れであった。東方のイラン高原も肥沃とはいえ、メソポタミア南部とは比較にならず、人口過剰に陥れば西方に食指が動くのは自然な流れであった。北方と西方に関しても同じことが言える。

◎古今東西で頻発した食糧の略奪行動

中国史上で、食糧を求めて侵略行を続ける集団を流賊《りゅうぞく》という。唐代末期に起きた黄巣《こうそう》の乱も、元代末期に拡大した紅巾《こうきん》の乱もそれに近かった。

深刻な自然災害と行政の怠慢が重なったときに起きる現象で、誰も救済してくれないなら、あるところから奪うしかない。農耕を主とする社会であった中国での発生件数は、世界の他地域に比べ際立っていた。

目を西方に転じれば、古代ローマもガリア人による侵略に悩まされていた。前三八七年には、ローマ市の北約一六キロメートルのアリア河畔の戦いで大敗を喫し、市内にまで攻め込まれた。カピトリヌスの丘だけを死守すること七カ月におよび、食糧が尽きたため和議を結び、大量の黄金と引き換えに撤退を願うしかなかった。この七カ月間に、ガリア人が食糧をはじめ略奪を欲しいままにしたことは言うまでもない。

異民族による侵略は、ローマ帝国時代にも起こり、ゲルマン民族の大移動の最中の四一〇年には、三日間にわたってローマ市内が西ゴート族の手で略奪の被害に遭っている。

そのあとには、**ゲルマン民族の大移動**を誘発した**フン族による西ローマ帝国領内への侵攻**があり、四五一年のカタラウヌム平原の戦いこそ、西ゴート族と手を組むことで何とか勝利で終えられたが、帝国全土が受けた被害は甚大だった。

それからまだ立ち直っていない四五五年には、**ヴァンダル族による市内略奪**にも見舞われるなど、西ローマ帝国はもはや虫の息で、それから二十年後に滅亡した。

異民族の侵略に苦しめられたのは、ローマ帝国と長年攻防を展開したササン朝もいっしょで、相手は**エフタル**という機動力に優る遊牧民族だった。ホスロー1世（在位五三一～五七九年）の代に同じく遊牧民族の西突厥《とっけつ》と手を組むことで、ようやくエフタルの撃滅に成功した。

ササン朝から少し東へ目を移すと、インドも現在のアフガニスタン東部に都を置いていたガズナ朝の**マクムード**（在位九九八～一〇三〇年）により甚大な被害を受けていた。都合十七回を数えたマクムードの遠征の目的は、金銀財宝と奴隷、戦闘用の象の獲得にあったが、必ず**食糧の略奪**もともなった。「偶像破壊者」を自称するだけあって、殺戮や破壊活動も凄まじく、北インドにわずかに残っていた仏像の類も、マクムードの遠征によりその大半が失われた。

【気候変動や人口過剰がもたらした民族の大移動】

◎民族の大移動は支配者を交替させた

現代における民族大移動といえば、真っ先に脳裏に浮かぶのは難民の列かそれとも中華圏の春節《しゅんせつ》（旧正月）であろうか。中国では二〇一九年の春節を挟む約一カ月間に、帰省その他で延べ三十億人が移動したというから大変である。

インドやバングラディシュのように列車の屋根に乗るとか、扉や窓にぶら下がる乗車方法は許されていないが、列車もバスもぎゅうぎゅう詰めで、空港や駅、長距離バスターミナルなどはどこも例外なく大混雑で、混雑に紛れてのスリやひったくりも多そうだ。

だが、古代から中世にかけて見られた民族移動は、食糧や金品目当てか、新天地を求めてのものであったから、彼らが進む先に暮らす人びとにとっては、命に係わる大事であった。略奪は一過性のものだが、腰を据えられて新たな支配者となられては、既存のルールのすべてを変えられかねなかった。

現に前一五〇〇年頃、中央アジアから南下したアーリア人は、インド亜大陸を征服して、先住民を下層の身分に固定してしまった。現在に続くカースト制度の始まりである。

ヨーロッパでは、ケルト人とギリシア人が先住民を征服したかと思えば、ほどなくローマ人に取って代わられ、さらにはゲルマン系諸民族がこれに続いた。

四世紀初頭から五世紀後半は、中国大陸でも民族大移動が起きていた。三国志《さんごくし》の時代が二八〇年の西晋《せいしん》の天下統一により終わったかと安心したのも束の間、二九一年に始まる八王《はちおう》の乱《らん》に乗じ、五胡《ごこ》と総称された異民族が自立の動きを見せ始めた。

彼らは三国志の時代に捕虜として、強制的あるいは傭兵《ようへい》として自主的に移り住んだ人びとの二世や三世で、西晋による天下統一時点で、関中《かんちゅう》（現在の陝西省《せんせいしょう》中央部）の戸数百余万のうちの約半数を占めていたが、戦乱が終息するとともに差別の対象とされ、強い反発を覚えた。

華北の他の州でも、同様の現象が見られたことから、きっかけさえあればいつ何が起きてもおかしくはなく、八王の乱がまさしくそれにあたった。

時代区分として、三〇四年に匈奴《きょうど》の劉淵《りゅうえん》が漢王を自称した時点を、五胡十六国時代の始まりとする。それから五世紀後半までに六回も漢人による南下の大波があり、中原の黄河中流域から淮河《わいが》と長江の下流域に移住した漢人の数は、三一一年の洛陽《らくよう》陥落から三一六年の西晋《せいしん》の滅亡までの間だけでも九十万人を数え、これは当時の漢人人口の八分の一、江南《こうなん》全人口の六分の一に相当した。

中国における民族大移動は、その後も何度か起こり、なかでも一一二七年の北宋《ほくそう》の滅亡と同年の南宋《なんそう》成立時には中原《ちゅうげん》から江南《こうなん》へ、清の康熙帝《こうきてい》と雍正帝《ようせいてい》の時代には湖北・湖南両省から四川《しせん》省及び福建省から台湾へ、清の後期には山東省《さんとう》と直隷省《ちょくれい》（現在の河北省中部から南部）から東北三省への大移動があり、一九四九年に国共内戦に敗れた蒋介石《しょうかいせき》が大陸から台湾へ逃れた。

◎民族の移動によりトルコ語はアジア有数の国際語になった

民族大移動は**気候変動**か**人口過剰**を要因とすることが多く、気候変動には**寒冷化**や**大飢饉**なども含まれる。

北欧の**ヴァイキング**が、**略奪から占領・移住へ**と選択肢を広げたのも、人口過剰に起因するものと考えられる。ヴァイキングの中でもユトランド半島出身の者たちは**デーン人**と称し、現在のフランス・ノルマンディー地方を封地として認められた。そこでも人口過剰に陥ると、イングランドや遠く地中海のシチリア島やイタリア半島南部にまで征服の手を伸ばし、十字軍に参加してエルサレム王となる者さえいた。

七世紀に、**アラブ・イスラーム勢力**が急拡大した背景にも、アラビア半島の人口過剰が関係した可能性が高い。占領した各地に軍営都市を築き、移住を奨励している。信仰心と略奪への期待に加え、耐えがたいレベルの人口圧力が快進撃を支えたものと考えられる。

スラヴ人の大移動が開始されたのは、六世紀のことで、故郷は定かでないが、その移住と拡大の範囲は、現在のモスクワ周辺から東欧とバルカン半島の全域に及び、本来はアジア系であったブルガール人やマジャール人も、外見上は完全にスラヴ化し、ギリシアでもスラヴ人との混血が当たり前となった。
もう一つ欠かしてはならない民族大移動は、トルコ系民族によるもので、彼らの原郷はモンゴル高原と言われている。移住・拡散自体は早くから行なわれていたが、一気に弾みがついた要因は九世紀の寒冷化にあった。

ウイグル王国が崩壊したことにより、大半のトルコ系民族が南か西へ移動。中国内地に入った者はやがて同化されたが、中央アジアに入った者たちはそこを支配下に置き、そのまた一部がさらに南や西へと拡散をくり返し、ついには小アジアとバルカン半島をも支配下に置いた。

現在のトルコ共和国を見れば、イスタンブール市民と東部の住民で顔立ちがまったく異なるのは一目瞭然。イスタンブールではスラヴ系やギリシア人との混血、またはイスラームに改宗しただけで、スラヴ系の血しか流れていない人びとが多数を占めるからで、そうかと言って東部住民の顔立ちがトルコ系本来のものとも限らない。

アジアを横断する間に、さまざまな民族との混血を繰り返しているからで、トルコ系としてはもっとも東に位置するウイグル人にしてからイラン系との混血が考えられるなど、結局のところ、本来の顔立ちは不明と言うしかない。

現在のトルコ語とウイグル語は、方言程度の違いしかないというから、それはそれで羨ましくもある。アゼルバイジャンやイラン西北部、アフガニスタン北部、中央アジア四カ国でも通じるのであれば、トルコ語は国際語の一つと呼ぶに値するだろう。

移民は農業生産力を高め兵力の増強に繋がった

◎富国強兵に移民や亡命者を受け入れたプロイセン

移民国家といえばアメリカばかり取り上げられがちだが、同じく元イギリス領だったカナダやオーストラリア、ニュージーランドなどもそうで、帰還と言い換えているだけでイスラエルもまた移民国家である。

さらに紀元前にまで遡れば、移民国家でないところを見つけるほうが難しい。突き詰めて言えば、**人類の歴史は移民の歴史**でもあるのだ。

近世以降の**農業移民**に的を絞ってみると、強国になったプロイセンの姿が見えてくる。

十八世紀のヨーロッパでの強国はイギリスとフランスで、オーストリアとオランダがこれに次いだ。スペインが衰退に向かっていたのとは対照的に、存在感を強めつつあったのがロシアとプロイセンだった。

プロイセンは、一七〇一年に侯国から王国に昇格したばかりの新興国で、啓蒙専制君主のフリードリヒ2世（在位一七四〇～一七八六年）が有名だが、その父で「軍人王」の異名を取ったフリードリヒ・ヴェルヘルムもかなりのやり手で、一七二二年には**亡命者保護令**を発し、わずか二年間でザルツブルク司教の命で追放されたプロテスタント信者一万二千人を受け入れている。

プロイセンの亡命者の受け入れは侯国時代から盛んで、一六八五年に同様の法令が発せられたときには、その年だけでフランスから亡命してきたプロテスタント信者の数が二万人にも及んだ。一七〇〇年時点にはベルリン市民の三人に一人がフランス出身者だったというから驚きである。

その大半が軍人や医師、薬剤師、造園師、金銀細工師、石鹸や絨毯《じゅうたん》、服飾の職人など、何らかの特殊技能者であったことから、ベルリンを始めプロイセンの都市部を大いに益することとなった。

跡を継いだフリードリヒ2世も、亡命者と移民の受け入れに積極的だったが、すでに都市部に必要な人材は確保できていたので、彼は農業移民に力を注いだ。

当時は人口の圧倒的多数が農民で、彼らこそ主要な納税者であると同時に兵士の供給源でもあった。農産物の生産量を高めるには、農民を増やさねばならず、農民の増加は兵力の増強に直結した。

フリードリヒ2世が即位した時点で、プロイセンの総人口は二百二十四万人で、常備軍の兵数は約八万人。当時のヨーロッパ全体でも第四位の多さだった。それが一七五三年には十三万五千人にまで増えていることからも、いかに多くの移民を受け入れたかがわかる。

これと同時に、ジャガイモの栽培が大いに奨励されたこともあって、慢性的な食料不足も解消され、プロイセンはそれまでドイツの中心であったオーストリアと、互角以上に渡り合える軍事大国として不動の地位を築き上げたのだった。

◎入植者を優遇して受け入れたロシア

プロイセンはロシア、オーストリアと語らい、三度に及ぶポーランド分割で同国を地図の上から消し去ってしまうが、そのときロシアでツァーリ（皇帝）の座にいたのは**女帝エカテリーナ2世**（在位一七六二〜一七九六年）だった。

彼女は、それ以前から続けられていた版図の拡大を受け継ぎ、南はオスマン帝国やその保護国であるクリミア・ハン国、雑多な民族からなるコサックという武装集団と戦いを重ねたあげく、現在はウクライナ領である黒海北部沿岸を制圧することに成功した。

エカテリーナは、そこを「新ロシア」と名付け、初代の知事に寵臣の**ポチョムキン**を任命。ポチョムキンは女帝の期待に十分応えられるやり手で、入植者に広大な土地を与えた上に最初の二十〜三十年は免税措置を取った。

二十五人以上の農民をともなった貴族には、四〇〇〇エーカー（一エーカーは四〇四六・九平方メートル）もの土地を与えるなどのさまざまな優遇措置で臨んだことから、一七七八年からの十年間で収穫量は五倍にも増え、一七九六年には人口が五十万人を超えるまでになるなど、目覚ましい成果を挙げた。

オデッサをはじめ、黒海沿岸に多くの港湾都市を築いたのもポチョムキンで、これらの都市はみな輸出港として急速に発展。これよりウクライナ南部は「**ヨーロッパのパン籠《かご》**」としての道を歩み出すのだった。

けれども、このとき推進された**移民奨励策**が、二〇一〇年代になってクリミア危機やウクライナ東部紛争の遠因となった。直接の原因は、ウクライナで成立した右派政権によるロシア語排除にあったにせよ、ロシア系住民が多数を占める地域がなければ起こりえない問題であった。

二十世紀末以降の出稼ぎ労働者は土木建築業、移民は小売業やサービス業に従事するのが一般的で、ヨーロッパ諸国の大都心に行けばそれが一目瞭然だ。ターミナル駅周辺で働く人は移民ばかりで、人だけを見ていてはいったいどこの国にいるのかわからなくなる。

異郷にコミュニティーを作るのは、ユダヤ人とアルメニア人、華僑《かきょう》くらいというのは過去の話で、今や欧米全体が移民国家へと変貌を遂げつつある。

だが、経済事情が変われば人の流れも変わるはずで、百年先にはアフリカの田舎町に白人や日本人のコミュニティーができ、現地人より低賃金で働かざるをえなくなっているかもしれない。

中世の農奴制にも見られた絶望的な貧富の格差

◎貧民の感情が理解できなかった貴族

二〇一九年十月十一日のNHKの報道によれば、アメリカの若者を対象にした世論調査において、「社会主義に好意的」と答えた人が五一パーセントにのぼり、資本主義と答えた五パーセントを上まわった。

これは別段驚くような結果ではなく、二〇一一年の時点ですでに前兆は現われていた。「ウォール街を占拠せよ」や「われわれは九九パーセントだ」の掛け声のもと、同年九月十七日のニューヨークに始まり、アメリカ全土に拡大した抗議運動がそれで、広がるばかりの**貧富の差と貧困層の増大**に対する怒りが、多くの若者を行動に駆り立てたのだ。

貧富の差は現代特有のものではなく、中世にはヨーロッパ全体で**農奴制**が布かれ、戦争さえなければ貴族は一生安泰だった。それに対して農奴は、逃亡してアウトロー集団にでも身を投じないことには、どんなに歯を食いしばって働けども、死ぬまで自由を獲得することはできなかった。

制度の上では、一八六一年のロシアを最後にして、ヨーロッパから農奴は消え去ったことになっているが、貧農や小作人の境遇は農奴とさして変わらず、それは十六世紀中に農奴制が消滅したとされるフランスでも同じだった。

貴族からなる第一身分と、聖職者からなる第二身分が免税特権を有していたのに対し、農民が大多数を占めるその他大勢には重税が課せられていた。

彼ら第三身分のなかで、身分制議会の三部会議員になれたのは**都市部の富裕層だけ**で、フランス革命に際して農民は完全に蚊帳《かや》の外だった。

フランス革命の直接のきっかけは、**パリでの食糧不足**にあった。アイスランドで起こった火山噴火が原因で凶作が続いたため、パリにまで十分な量の小麦が届かず、パンさえ手に入れられなくなったパリ市民が怒りを爆発させた結果だった。

王妃の**マリー・アントワネット**は「パンがないならお菓子を食べればいいのに」と発言したとされるが、ウィーンの宮廷育ちの彼女であればありうる話である。

もっとも同様の発言は、中国・西晋王朝の二代目皇帝恵帝《けいてい》（在位二九〇〜三〇七年）のほうが早く、彼は「穀物がないのならば、なぜ肉入りの粥《かゆ》を食べないのか」と、人心を逆撫でする発言をしており、民衆の反発を招く効果はこちらの方が上だったかもしれない。

ともあれ、マリー・アントワネットと恵帝の言葉は、食器以上に重い物を持ったことがない超富裕層と、貧困のどん底で喘ぐ民衆との日常感覚の差を、短い譬えで実によく表わしている。

◎ジャガイモ飢饉で海外に逃れたアイルランド人

イギリスでも、十七世紀前半には農奴が消滅したが、それはイギリス本土にあたる大ブリテン島だけのことで、イギリス領アイルランドでは話が別だった。

アイルランドは、ただでさえ農耕に適した土地の少ない島だった。限られた土地で小麦の栽培が行なわれていたが、それらは税としてすべてイギリス本国に納めなければならない。そのため十八世紀には南米原産のジャガイモが主食として広く普及した。

島民の三分の二が農業によって生計を営み、そのうち約半数が貧農で、ジャガイモ頼みでギリギリの生活を送っていた一八四五年、長雨と冷害に加え、ウイルスによる立ち枯れ病が蔓延したから堪らない。それから三年間は、ジャガイモの収穫は壊滅的で、アイルランド全体が**深刻な飢餓状態**に陥った。

同年はイギリス本国の保守党政権が、アメリカからトウモロコシの緊急輸入措置を取ったから何とかしのげたが、翌年成立の自由党政権は自由放任主義の立場から一切の救済措置を施さなかった。

その結果、アイルランドでは一八四〇年代末までに飢餓とそれに伴う疫病によって百万人以上が死亡。さらに百万人以上がイギリス本土やアメリカ、カナダ、オーストラリア、ニュージーランドなどへ移住することになるが、「棺桶船」と呼ばれるほど貧弱な船に乗った者たちは悲惨で、目的地に到着するまでに五分の一が命を落とす有様だった。

ジャガイモ飢饉が終息してからも、人口流出の波は続き、飢饉発生前に八百万人を数えたアイルランド全体の人口は、半分以下にまで減少し、現在でも南北あわせて五百万人ほどにすぎない。

逆に世界に散らばるアイルランド系住民は、七千万人を数え、そのうち約六割がアメリカに居住している。アイルランドの守護聖人である聖パトリックを祀る行事が英語圏で広く行なわれているのはこのためである。アイルランド代表が出場する、サッカーやラグビーのワールドカップは、世界中のアイルランド人が一堂に会する貴重な役割を担ってもいる。

二十一世紀に入った現在、農奴は消滅しても、飢餓線上を彷徨う人びとは依然として億単位で存在する。世界中に何カ所もの別荘や、プライベートジェットを持つセレブと称される人びとがいる一方で、先進国でさえ餓死者やホームレス、生活保護に頼らざるをえない人びとが多数いる現実は明らかにおかしい。

富の再分配を真剣に議論し、実行すべき時期に差し掛かっているというのに、貧困は自己責任と片付け、放置したままでよいと主張する人びとが一定数存在する。

【食のグローバル化と切り離せない食の安全】

◎恫喝で解決するアメリカの貿易交渉

経済界出身とあって、アメリカのトランプ大統領が**経済と外交を必ずリンク**させているのは間違いないが、**貿易摩擦解消**に向けての言動はあまりにも乱暴にすぎる。

超大国のエゴ丸出しと言うか、力こそ正義と思っているに違いないと思われる。

消費者の嗜好に合わない商品、品質の劣る製品、国際的な安全基準を満たさない食料品を買えと言われても、素直に「ハイ」と応えられる人が多くいようはずがない。アメリカに必要なのは**売れる商品を生み出す努力**だ。

内なる努力を怠り、恫喝《どうかつ》によって事態を解決しようとする姿勢は、一九八〇年代の日米貿易摩擦のときといっしょで、当時と違うのは一番の対象が中国で日本はその次という点だ。

かつての日本は、アメリカ産オレンジを輸入することで妥協したが。その影響はすぐには表面化せず、三十年以上経過した現在になって、日本人のミカン離れや酸味の強い果実、手の汚れる果実を避けるといった傾向をもたらすこととなった。

アメリカと中国の貿易摩擦は、中国側が大豆とトウモロコシを大量買い付けしたことで小休止しそうだが、これは中国国内における食糧自給率の低さと絡んだ問題でもある。

中国では農業だけでは生活が成り立たず、廃業する中小規模の農家が増え、放棄された田畑が増えるいっぽうだから、他の農業国にとっては大きな商機となっている。

したがって、中国が今後もアメリカ産農産物を優先的に買うとは限らず、購入先に大きな変更が起これば、アメリカとの貿易摩擦が再燃するのは避けられないだろう。

トランプは公約通り、**TPP**（環太平洋パートナシップ貿易協定）交渉から離脱し、**二国間交渉**でより有利な条件を引き出す外交を展開しているが、これにはメリットとデメリットの双方がある。TPPを離脱せずに署名していれば、牛肉と乳製品の輸出量増加が確実だっただけに、農畜産業界では不満が高まっている。

それは輸入車や輸入部品に高関税をかけることで、国産自動車の売り上げが延びると期待していた製造業界も同じで、完全な国産自動車は原価が上がり、値上げをすれば消費者が買い控えをするか、中古車市場に流れるのは必至で、値上げを控えれば利益率が下がる。

どちらを選んでもプラスに転じることはないわけで、自動車業界や自動車の町でも選挙民の意識に変化が表われるのは避けられそうにない。

◎食糧のアメリカ依存と食の安全問題

二〇一九年八月に実施された**日米貿易交渉**において、日本の安倍晋三《あべしんぞう》首相はアメリカのトランプ大統領に、アメリカ産トウモロコシの追加購入を約束した。その量は日本が年間に輸入する飼料用トウモロコシの三カ月分に相当する約二百七十五万トンに達する見通しである。

安倍首相は、飼料用トウモロコシの購入理由に、七月に国内で初めて鹿児島県内で害虫被害が確認されて以来、それが九県五十二市町村に拡大したことを挙げている。

トランプは「中国が約束を守らないから、アメリカではトウモロコシが余っている。そのすべてを日本が買ってくれ、農家はとても幸せだ」とコメントしているが、日本での害虫被害は葉の部分だけで、飼料にするトウモロコシは葉や茎も砕いて用いるものだという。

農水省の植物防疫課は「現時点では通常の営農活動に支障はない」としている。なおかつ追加購入するトウモロコシは実だけのもので、葉や茎も砕いている日本の飼料用とは栄養価に違いがあることから、家畜の健康維持に支障が出るのではと不安の声が上がっている。

日本国内でも約四五〇万トンが生産されているほか、年間約一一〇〇トンの飼料用トウモロコシを輸入しており、その大半はアメリカ産である。

アメリカ産トウモロコシは**遺伝子組み換え**であるのに対し、国内産は品種改良以上のことをしていないため、日本の畜産農家では、安心感がある国内産を好む傾向がある。

遺伝子組み換え食品はトウモロコシに限らず、アメリカ産の大豆、カナダ産の菜種《なたね》でも当たり前となっており、ほとんどの日本人はそうとは知らず、すでに口にしている。

人類の歴史上、鉄製農具の使用を第一次農業革命とするなら、動力式の農業機械の登場は第二次農業革命にあたり、遺伝子組み換えが第三次農業革命と呼びうるものとなれるかどうかは、現在のところ微妙である。

人間が長期摂取をした場合、健康に悪影響があるのかどうかは判断できない。薬の治験のように人に摂取させて病気になるかどうかを試すことができないからだ。

日本には遺伝子組み換え食品表示義務があるが、対象となっているのが大豆、トウモロコシ、ジャガイモ、菜種、綿実、アルファルファ（ムラサキウマゴヤシ）、ビート（甜菜《てんさい》）、パパイヤの八種類と、これらを原材料とする三十三種の加工品に限られているため、ザル法に近いのが実情である。

さらに、二〇二〇年から日本に入ってくる、**アメリカ産牛肉**も問題だ。一九八九年には現在のEUの前身であるECが、ホルモン剤使用のアメリカ産牛肉の輸入を禁止した。

アメリカでは牛に**成長促進剤ホルモン**を与えており、一九八〇年代にはイタリアなどで、アメリカ産牛肉が原因と思われる、幼女のホルモン異常が報告されている。

アメリカ側は、成長促進剤ホルモンを使用しても残留はわずかで、人体に影響はないとした。だがECは同薬が発がん物質との証拠があるともして輸入禁止措置を発動。裁判では敗訴したが、輸入禁止を解かなかった。対してアメリカはECの農産物に追加関税をかけて応酬した。

現在のEUでは表示義務にも厳格だ。だが日本では「絶対に危ない」ことが明確でない限り、たいていは輸入されるという、緩い食への安全感覚である。

【先進国・新興国ともに共倒れを避けたい地球環境問題】

◎現代の指導者に求められる環境問題への真摯な姿勢

二酸化炭素の排出量を減らす。化石燃料はいずれ枯渇《こかつ》するのだから、リサイクル可能な代替燃料を実用化させる。

この二つを完全両立させることは不可能だが、植物は二酸化炭素を吸収しながら成長する上に再生が可能だから、プラスマイナスでゼロにできる。そのため**バイオマス**（生物資源）を原料とする燃料、すなわちトウモロコシやサトウキビなどの安価な穀物を発酵させて、アルコール（エタノール）を作り出す**バイオ燃料**が注目されている。

だが、一億人以上の人口を擁する日本では、膨大なエネルギーが必要である。そのうえに環境問題に配慮し、二酸化炭素の排出を抑えることも求められている。さらに地震大国の日本では自然災害も考慮せねばならず、テロなどの他国からの侵略など、あらゆるケースを想定して、エネルギー源の多極化を図ることが必要であろう。

そのため発電方法を一本に絞るのは危険にすぎ、太陽光や地熱、風力など、考えられるすべての発電方法に手を染めるのが、もっとも賢明な策ではあるまいか。当面の費用はかかろうとも、電力に依存している現在の生活からは、いざというときに使える電源がないのでは、まったく話にならないのだから。

それは日本に限ったことではなく、十六歳の環境活動家グレタ・トゥーンベリさんの国連でのスピーチに触発され、世界各地では**環境保護と地球温暖化防止**を訴える市民運動「**絶滅への反逆**」によるデモ活動が繰り広げられている。

これにはグレタさんと同世代の若者たち、いわゆる「Z世代」からの参加者が多く、彼らはすべてのツケを負わされることに強い反発を覚え、美味しいところだけを取った大人たちに異議の申し立てをしているのだ。

この運動と「ウォール街を占拠せよ」との間には共通点が見られる。

それは次世代以降のことをまったく考えようとしない**無責任な大人たちへの怒り**で、一般企業で言えば、自分が退職するまで倒産しないでいてくれさえすればよく、改革など一切不要とする中高年管理職がまさしく無責任な大人にあたる。

危機感を募らせるのも当然で、**地球温暖化**によって今世紀中に水没する島国や地域もあれば、**異常気象**によってヨーロッパは連年夏には熱波に襲われ、冬には豪雪に見舞われる。アメリカも連年ハリケーンによる深刻な被害に見舞われるなどしているのだ。

二酸化炭素排出量に対する新興国の言い分もわからないではない。新興国にも経済成長をする権利があり、現在の状況は先進国の工業化がもたらしたもので、そのツケは先進国が払うべきもの。それを抑止しようとするのはお門違いと言うのももっともである。

◎海外から注目される「もったいない精神」

現在のところ、バイオ燃料ではバイオエタノール、バイオディーゼル、バイオガスの三つが広く利用されている。

バイオエタノールはサトウキビやトウモロコシを発酵・蒸留させて製造するもので、ガソリンとの混合利用が一般的だ。アメリカでは車両の燃料として、ガソリン九対エタノール一の割合で混合させたバイオエタノールを使用することが法令化されている。

次にバイオディーゼルは菜種油や大豆油、椰子《やし》油などの植物油から製造されるディーゼル用燃料で、軽油と混合して使用するのが一般的である。特にヨーロッパで広く普及しており、食用油などの廃油を使用することもある。

三つ目のバイオガスは家畜の排泄物や食品廃棄物を発酵させて生じるガスで製造されるもので、発電や熱供給に利用されることが多く、ヨーロッパではドイツでの生産量が際立っている。

これらバイオ燃料の原料が産業になるとわかると、農業以外の業種から参入する業者が多く現われた。今後需要が増えることも期待され、化石燃料とは違って、再生産が可能なのだ。

ただし、良いことずくめではなく、本来はトウモロコシは食用や飼料用、菜種油は調理用のため、絶対量が不足すれば価格の高騰を招き、新たな耕作地を作るために山林を切り開けば生態系を崩してしまうだろう。

それらの害を防ぐには、休耕地の利用や生産過剰な作物の畑をバイオ燃料用に改めるのが一番だが、それには個々の**農家の承諾と協力**を得なければならず、これには業者の説得だけでは足りず、ときには行政による介入も必要になるはずである。

顧みれば、人類とバイオ燃料の関係は古い。薪《まき》もバイオ燃料なら蠟燭《ろうそく》もそうだ。

東南アジアに多いココナッツ椰子は、捨てる部位がないと言われる。中の液体は飲用、白い胚芽《はいが》部分も飲用になり食材や石鹸《せっけん》、蠟燭、整髪料の原料としても利用されている。殻《から》の部分は飼料や肥料として使え、一番外側の繊維質はタワシやロープ、民芸品となり、羽状の葉は箒《ほうき》や焼き鳥用の串となり、幹の部分は建築資材として使用されるなど、何一つ捨てるところがないのである。

われわれは、捨てるという行為を見直さなければならない時期に差し掛かっている。「**もったいない精神**」は決して貧相なものではなく、人類の本来あるべき姿で、日本でも近年まであらゆるものを再利用しており、**リサイクル**業も成り立っていたのだ。

世界の指導者たちはもとより世界中の人びとにも、目先のことだけではなく人類全体の未来を見据え、どうすればこれ以上の環境破壊をせずに済むかを考えながら、毎日の生活を送ることが求められている。

歴史上の日本では

◎武士が実利を求めて名を惜しむ日本の文化

日本の武士は自分の命よりも名を惜しんだ。

だが、その意図は時代によって異なり、平安・鎌倉時代の武士は手柄を立てた証拠を残すために名を惜しんだ。すべては恩賞として土地を得るためだった。

一番槍は死亡率が高いだけに証人が不可欠で、一騎打ちをする者が名乗りを挙げるのも証拠を残すため。名のある敵将の首を生きて持ち帰れればよいが、生還や持ち帰りができなかった場合、証人がいれば遺族に恩賞が下される仕組みになっていたからである。

恩賞として土地が好まれたのは、それが農作物という富を生む源泉と認識されていたからで、とくに東国武士は「一所懸命《いっしょけんめい》」として、命を懸けて土地を守った。商業が主要産業になるのはまだまだ先のことだった。

しかし、農業は天候に左右されるし、もともと農業に適さない土地も多い。そのため室町時代の西日本では倭寇《わこう》として朝鮮半島や中国沿岸部の襲撃に出かける者が少なくなかった。

略奪なら国内でもよさそうだが、相手も戦慣れしていれば成功するとは限らず、近隣でそれを働けば遺恨となり、あとあと面倒でもある。そこで遠くても防備が薄く、戦闘力でも劣る地域を対象としたのだった。

戦国時代になると海外まで出かける余裕がなくなり、なおかつ略奪より占領に重きが置かれるが、薩摩《さつま》の島津《しまづ》氏だけは例外であったようだ。

豊臣政権下でも**拉致**《らち》**や略奪**をやめず、関ヶ原合戦時に乗じて熊本の加藤氏の領内に侵攻。多数の女や子どもを拉致して、加藤氏やその跡を継いだ細川氏から返還を求められても戦利品であるとして撥ね付け、下女や農業奴隷として働かせていた。だが、奴隷とした者にも食事などを与えねばならず、多くは長崎などで南蛮商人に売られていったという。

このような事件は、島津氏が兵農未分離の体制を維持して、所領の少ない武士に略奪の自由を認めていたからであった。

さすがに徳川幕府の時代になると禁じたが、その穴埋めとして奄美《あまみ》大島など近海の島々が犠牲となり、島民は南蛮渡来の新規作物であるサトウキビの強制栽培などに従事させられた。

◎農業依存から脱却できなかった武家政権

米中心の経済は江戸時代になってからも変わらず、武士の給与はすべて米による現物支給だった。彼らは自家で消費する分だけを残し、余剰米を札差《ふださし》という仲買人に売って換金し、衣類などの生活必需品を購入した。

しかし、武士は戦功がなければ昇級することはなく、太平の時代であれば昇級を期待できなかった。物価が上昇しても給与に変化なしでは生活が苦しくなるのは必定である。

江戸時代の三大改革とされる享保《きょうほう》・寛政《かんせい》・天保《てんぽう》の改革でも**新田開発や経費節減**が奨励される

ばかりで、根本的な経済改革策は提示されず、幕閣で商業に着目したのは十代将軍徳川家治《いえはる》の世に幕政を担当した田沼意次《たぬまおきつぐ》しかいなかった。

幕府はもちろん、全国の諸藩が借金で首がまわらなくなり、**特産品の開発**など農業以外の分野に活路を見出そうとしたのは自然な流れで、より手っ取り早く稼ぎたいのであれば抜け荷（密輸）に手を出すという方法もあり、幕末に雄藩として躍り出た長州《ちょうしゅう》藩と薩摩藩はどちらもそれと同時に、借金の踏み倒しという乱暴な手段を行使していた。

日本の夜明けとされる明治維新、すなわち薩長を中心とした倒幕と新政府の樹立は、綺麗な金で実現したわけではなかった。

◎農業人口を移民として送り込んだ明治時代

明治時代には、欧米を参考にした**税制改革**が行なわれるが、**税の完全金納化**は、現金を手にする機会が少ない農家にとっては、現金を扱う酒造業や商人に買い叩かれる機会を増やし、大きな痛手となった。

流出した農業人口の受け皿となる産業が未発達の状態では、炭坑か港湾くらいしか働き口はなく、それにもありつけなかった人びとが都市部に流れ込み、スラムを形成することになっては治安の悪化をはじめ、社会不安が広まる恐れがある。

それを回避するには、**余剰人口を海外に送り出す**しかなかった。

かくしてハワイや北米大陸への出稼ぎや移住が奨励され、多くの日本人が太平洋を渡ったが、その道のりは平坦ではなく、移住先で不況が訪れるたびに排斥の声が上がった。

一九二四年には、アメリカの連邦議会で**日本人排斥移民法**が可決実施された。すでに移住していた日本人は、太平洋戦争中には敵性国民として収容所に入れられた。若い男性にはアメリカ兵としてヨーロッパ戦線に送られる者もおり、終戦後には進駐軍の通訳や翻訳係として複雑な思いで日本の土を踏んだ者も少なくなかった。

アメリカで移民規制が本格化して以降、余剰人口の多くは満州を目指すこととなった。終戦後はブラジルやペルーなど南米に渡るのが主流となり、一九九〇年から二〇〇〇年までペルーの大統領を務めたアルベルト・フジモリも日系二世だった。

◎変わりゆく日本の農業

人口の流出が止まるのは、**戦後の高度経済成長期**に入って以降になるが、終戦から一九五一年九月のサンフランシスコ条約調印に至るまでの間、日本はGHQ（連合国軍最高司令官総司令部）の管理下にあり、折からの食糧不足の穴埋めとしてアメリカの余剰物資、特に大量の小麦がもたらされ、主権回復後もアメリカからの小麦の輸入と、学校給食にはパンという暗黙のルールを押し付けられることとなった。

一方、農村の復興に関しては、GHQ管理下で実施された二度の**農地改革**によって多くの自作農が生み出された。彼らの便宜を図るためとして、農業協同組合（農協）も設立されたが、昭和三十七年（一九六二）をピークに米の消費量が減少に転じ、昭和四十五年からは本格的な**減反**（米生産調整）が開始された。

食料自給率を上げる意味からも飼料作物や大豆、麦などへの転作が奨励されたが、そこから得られる利益が米作に及ばないことと後継者不足から、**転作より廃業**を選ぶ農家が多くなる状態で二十一世紀を迎えた。近年は大手の異業種業者やベンチャー企業による農業進出が目覚ましくなった。

イチゴの「あまおう」に代表される高級果物の開発など、中国をはじめ東南アジアの富裕層を対象にした、海外市場をも視野に入れた農家が増加したことは、唯一明るい材料である。

日本の食料自給率　単位：%

	昭和40年	平成7年	17年	25年	30年
米	96	104	95	96	97
小麦	28	7	14	12	12
芋類	100	87	81	76	73
豆類	25	5	7	9	7
野菜	100	85	79	79	77
果実	90	49	41	40	38
牛肉	95	39	43	41	36
豚肉	100	62	50	54	48
鶏肉	97	69	67	66	64
魚介類	100	57	51	55	55

自給率＝食料の国内生産額／食料の国内消費仕向額 ×100（生産額ベース）
出所：平成30年度食料自給率（農林水産省）

【参考文献】

『学術文庫版　興亡の世界史』全21巻　講談社学術文庫／『中公文庫版　世界の歴史』全30巻　中公文庫／『新版世界各国史』全28巻　山川出版社／『世界歴史大系』全19巻　山川出版社／『シリーズ　アメリカ合衆国史1〜3』岩波新書／『シリーズ　中国近現代史』全6巻　岩波新書／『シリーズ　日本近現代史』全10巻　岩波新書／『古代日中関係史　倭の五王から遣唐使以降まで』河上麻由子著　中公新書／『世界のなかの日清韓関係史　交渉と属国、自主と独立』岡本隆司著　講談社選書メチエ／『戦争の日本近現代史　東大式レッスン！征韓論から太平洋戦争まで』加藤陽子著　講談社現代新書／『中国の論理　歴史から解き明かす』岡本隆司著　中公新書／『ロシアの論理　復活した大国は何を目指すか』武田善憲著　中公新書／『物語オランダの歴史　大航海時代から「寛容」国家の現代まで』桜田美津夫著　中公新書／『イギリス史10講』近藤和彦著　岩波新書／『物語イギリスの歴史　上下』君塚直隆著　中公新書

著者略歴

島崎 晋（しまざき・すすむ）

1963年、東京都生まれ。歴史作家。立教大学文学部史学科卒業（東洋史学専攻）。大学在学中に、立教大学と交流のある中華人民共和国山西大学（山西省太原市）への留学経験をもつ。卒業後は旅行代理店勤務ののち、歴史雑誌の編集に携わり、歴史作家として独立。著書に『目からウロコの世界史』（PHP研究所）、『さかのぼるとよくわかる世界の宗教紛争』（廣済堂出版）、『一気に同時読み！世界史までわかる日本史』（SB新書）など多数。古今東西の歴史・文化・地理・宗教に精通し、多方面にわたる著作の多い稀有な歴史作家として知られる。

覇権の歴史を見れば、世界がわかる
争奪と興亡の2000年史

2020年2月20日　初版第1刷発行

著　者　島崎　晋
発行者　江尻　良
発行所　株式会社ウェッジ
〒101-0052　東京都千代田区神田小川町1丁目3番地1
NBF小川町ビルディング3階
電話　03-5280-0528　FAX　03-5217-2661
https://www.wedge.co.jp/　振替00160-2-410636

装　幀　辻　聡
地図・組版　有限会社フレッシュ・アップ・スタジオ
印刷・製本　株式会社暁印刷

＊定価はカバーに表示してあります。
＊乱丁本・落丁本は小社にてお取り替えいたします。

ISBN978-4-86310-223-1　C0020